초급 신지학

루이 윌리엄 로저스

강푸름 옮김

Elementary Theosophy

by

Louis William Rogers

(1859~1953)

루이 윌리엄 로저스
(1859~1953)

초급 신지학

발 행 | 2024년 9월 4일
저 자 | 루이 윌리엄 로저스
펴낸이 | 한건희
펴낸곳 | 주식회사 부크크
출판사등록 | 2014.07.15.(제2014-16호)
주 소 | 서울특별시 금천구 가산디지털1로 119 SK트윈테크타워 A동 305호
전 화 | 1670-8316
이메일 | info@bookk.co.kr

ISBN | 979-11-419-5637-0

www.bookk.co.kr

서문

세상의 큰 변화를 오롯이 이해하는 것은 시간이 충분히 흐른 후에도 여전히 어려운 일이다. 거대한 사건들이 아직 형성 단계에 있는 동안, 미래는 불투명하게 보인다. 그러나 미래를 예측할 수 없다고 해서 현재 진행 중인 진화적 힘의 명백한 추세를 무시할 수는 없다. 한 가지 분명한 사실은 우리가 자랑하는 기독교 문명이 기록된 역사상 가장 비기독교적인 전쟁의 무대가 되었고, 인간의 잔혹성이 합리적으로 설명하기 어려울 정도로 극에 달했다는 점이다. 또 다른 명백한 사실은 20개 이상의 국가들이 전례 없는 조치와 방법을 강요받았으며, 이는 정부의 인식된 기능과 권한을 완전히 변형시켰다는 것이다. 이러한 종교적, 정치적 중요성을 가진 놀라운 사실들 앞에서, 사려 깊은 사람들은 현대 문명이 완전히 붕괴하고, 전 세계적으로 직접적인 국민 통치와 인류애에 기반한 보편적 종교가 부상하는 새로운 질서의 문턱에 서 있는 것이 아닌지 묻기 시작했다.

이러한 시기에, 오해를 해소하고 이 문제에 관심이 있는 사람들에게 근본적인 자연의 진리인 신지학을 알리는 문헌은 분명 유익할 수 있다. 세상이 윤리적 규범을 재구성할지 여부는 확실하지 않지만, 적어도 우리가 육체적 죽음 이후에도 살아간다는 믿을 만한 증거를 열망하고 있으며, 지성과 마음을 모두 만족시키는 합리적인 불멸성 가설을 환영할 것이라는 점에는 의심의 여지가 없다. 존재의 수수께끼에 대한 기존의 답변에 만족하지 못하고, 신앙과 이성이 함께 걸어야 한다고 요구하는 사람들은 다음 페이지에서 종교적 직관과 과학적 사실을 모두 존중하는 설명, 즉 삶의 신비에 대한 설명을 찾을 수 있을 것이다.

물론 이 책이 모든 것을 완벽하게 다룬다고 주장하는 것은 아니다. 이 책은 학생이 이해한 신지학의 몇 가지 측면을 제시할 뿐이다. 어떤 권위를 내세우지 않으며, 단지 인간에 대한 근본적인 진리들을 간단한 언어로 논의하려는 시도다. 독창성을 주장하지는 않지만, 오래된 진리를 새로운 방식으로, 새로운 예시와 논증을 통해 제시함으로써 독자들이 새로운 시각에서 바라볼 수 있기를 바란다. 이 책의 목적은 초보적인 신지학을 간단하고 명확하게, 평범한 독자에게 익숙한 언어로 전달하는 것이다. 모든 전문 용어와 표현을 피했으며, 책에서 단 하나의 외국어 단어도 찾을 수 없을 것이다.

루이 윌리엄 로저스

목차

CHAPTER I. 신지학

다시 발견하는 것은 진보를 이루는 한 가지 방법이다. 많은 것들이 처음 발견되거나 발명될 당시에는 독창적이라고 믿었지만, 시간이 지나면서 이전 문명에도 존재했음을 알게 되는 경우가 많다. 예를 들어, 엘리베이터 또는 리프트는 매우 현대적인 발명품으로 여겨졌으나, 한 고고학자가 2천 년 전 로마에서도 사용되었다고 발표하면서 우리를 놀라게 했다. 비록 우리가 사용하는 방식과는 다르지만, 당시에도 동일한 목적과 원리로 사용되었다.

반세기 전만 해도 과학자들은 서구 문명이 진화의 진실을 발견했다고 열광했다. 그러나 동양의 사상과 지적 생활에 대해 더 많이 알게 되면서 진화론이 이미 수 세기 전 동양에 스며들어 있었다는 사실이 밝혀졌다. 가장 최근의 놀라운 과학적 발견조차도 고대인들의 신념이 실제로는 우리가 아직 이해하지 못한 자연의 진리였음을 증명하는 경우가 많다. 예를 들어, 금속의 변형에 대한 연구는 과거의 연금술사들이 우리가 생각했던 것처럼 어리석고 미신적인 사람들이 아니었음을 보여준다.

우리는 과거 문명에 대해 너무 낮게 평가했으며, 이제야 이 사실을 깨닫고 있다.

우리가 세계 발전에 기여한 많은 부분이 발명이 아니라 재발견이라는 사실이 분명해짐에 따라 우리는 더 겸손해져야 한다. 수천 년 전에 존재했던 아이디어나 신념을 면밀히 검토하지 않고 그대로 두는 것은 안전하지 않을 수 있다. 어쩌면 그것들은 연금술사들의 어리석음처럼 지금까지 우리의 사고방식에 낯설었던 자연의 심오한 진리를 담고 있을지도 모른다.

신지학은 매우 오래된 동시에 매우 새로운 철학이다. 신지학의 원리는 가장 오래된 문명에서 알려지고 가르쳐졌기 때문에 매우 오래된 철학이며, 오늘날의 최신 연구 결과를 포함하고 있으므로 매우 새로운 철학이기도 하다. 이를 가볍게 언급하는 사람들은 신지학을 불교에서 빌린 철학이거나 적어도 동양에서 가져온 것이라고 말한다. 그러나 이는 잘못된 견해다. 불교도들이 신지학자들과 공통된 신념을 가지고 있는 것은 사실이다. 마치 감리교도들이 유니테리언들과 공통된 신념을 가지고 있는 것과 같다. 하지만 그렇다고 해서 유니테리언주의가 웨슬리에게서 빌려온 것은 아니다! 서로 다른 사람들이 동일한 자연의 사실을 연구할 때, 거의 동일한 결론에 도달할 가능성이 높기 때문이다.

신지학은 자연의 특정한 진리에 기반하고 있다. 이러한 진리를 연구하고 그로부터 믿음을 정립하는 사람들은 신지학자들과 유사한 견해를 가지게 될 가능성이 크다. 불교가 신지학과 유사하다는 점은 특별한 것이 아니다. 베단타 철학, 유대인의 카발라, 기독교 영지주의자들의 가르침, 스토아 철학도 같은 목록에 포함될 수 있다.

신지학이 동양에서 이식된 것이라는 주장은 부정되어야 한다. 신지학은 지구와 마찬가지로 인류 전체에 속하는 것이며, 특정 대륙에 국한될 수 없다. 오늘날 유럽과 미국에서 가르치는 신지학은 동양의 대중에게는 알려지지 않았을 수도 있다. 왜냐하면 그것이 구현하는 위대한 일반 진리는 여기서 완전히 다른 문명에 필요한 특별한 적용과 독특한 강조점을 가지고 있기 때문이다. 그러나 신지학의 원리가 동양에서 더 일찍 알려지고 더 널리 받아들여졌다는 것은 사실이다. 이 사실이 신지학의 가치를 떨어뜨릴 수는 없다.

수학의 원리도 비슷하다. 수학의 과학은 아랍인들로부터 직접 유럽 문명에 전해졌지만, 우리는 그 지식의 활용을 어리석게 거부하지 않는다. 이처럼 신지학도 특정 문화나 지역에 국한되지 않는 보편적인 진리를 담고 있다.

'신지학'이라는 단어는 문자 그대로 '신에 대한 자명한 지식'을 의미한다. 신지학은 인간이 지식을 습득하는 다양한 방법, 즉 구체적인 사실에 대한 연구, 개인의 의식과 그 근원의 관계에 대한 탐구, 그리고 삶과 그 목적에 대한 논리적 설명을 구성하는 추론 능력의 활용을 통해 결정되는 세 가지 측면을 가지고 있다. 이러한 이유로 신지학은 여러 측면에서 과학적이라 할 수 있다. 신지학은 현실적이고 물질적인 사실과 현상을 다루며, 물리적 감각에 기반한 증거를 제시한다.

또 다른 측면에서 신지학은 종교적이다. 신지학은 모든 의식의 근원과 개별적인 표현의 다양성 사이의 관계, 그리고 이들 개성 사이에서 발생하는 복잡한 관계, 이와 함께 존재하는 의무와 책임, 개별 의식의 진화와 더 높은 영역으로의 궁극적인 전이를 다룬다.

또 다른 측면에서 신지학은 삶의 철학이다. 신지학은 인간의 기원, 진화, 운명을 다루며, 우주를 설명하고 존재의 문제에 빛을 던져준다. 이를 통해 신지학을 연구하는 사람들이 무지의 어둠 속에서 잘못된 방향으로 나아가는 대신, 빠르고 안전하며 편안하게 진화를 계속할 수 있도록 돕는다. 신지학은 잘못된 에너지의 고통스러운 결과를 피하고, 올바른 방향으로 나아갈 수 있도록 지혜를 제공한다.

신지학은 분명 과학이자 철학이지만, 완전한 의미에서 종교는 아니다. 신지학이 독특한 종교적 측면을 가지고 있는 것은 사실이지만, 일반적으로 '종교'라고 하면 특정한 교리와 이를 전파하는 교회를 떠올리게 된다. 신지학은 수학처럼 보편적인 원리로, 삶의 모든 단계에 적용할 수 있는 자연적 진리의 집합체다. 신지학은 모든 종교를 동등하게 중요하게 여기며, 각 종교가 다양한 문명에 특유하게 적응한 것으로 본다. 또한, 신지학은 모든 종교의 기반이 되는 기본 원리를 종합적으로 제시한다.

이 모든 점을 통해 신지학과 신학 사이에는 큰 차이가 있음을 알 수 있다. 신지학은 인간의 불멸을 선언하지만, 종교적 신념으로서가 아니라 의식의 본질과 관련된 과학적 사실에 근거해 선언한다. 신지학은 일반적으로 사용하는 "믿음"이라는 단어를 사용하지 않는다. 신지학에서의 믿음은 자연법칙의 불변성, 자연의 균형과 조화, 우주의 조화로부터 비롯된다.

신지학은 매우 오래된 학문으로, 인간과 지구에 대한 고대의 지혜를 기반으로 한다. 이 지혜는 무수한 세기를 거쳐 선사 시대까지 거슬러 올라간다. 그러나 이 오래된 지혜에는 의식을 육체적 감각을 초월하는 수준으로 진화시킨 가장 성공적인 학생들이 습득한 최신 사실도 포함되어 있다. 이러한 사실은 그들의 발견 방법에서 비롯된 권위가 아니라 그 자체의 내재된 합리성에 근거한다.

이러한 의식의 방법과 그러한 조사의 적절한 가치에 대한 자세한 논의는 다른 장에서 다루겠다. 지금은 독자들에게 사이비 심령술의 주장과 불멸에 대한 보편적 희망 아래 과학적 토대를 마련하기 위해 이미 많은 일을 해온 심령 과학자들의 연구를 혼동하지 않도록 경고하는 것으로 충분할 것이다.

CHAPTER Ⅱ. 신의 내재성

과학적 사고와 종교적 사고 사이의 대립은 19세기 지성계에서 가장 큰 논쟁의 원인이었다. 초기 기독교 교회의 가르침이 사라지지 않았다면 이러한 갈등은 발생하지 않았을 것이다. 교회의 지성이자 심장이었던 영지주의 철학자들은 자연에 대한 지식이 너무나 진실하여 어떠한 과학적 사실과도 충돌하지 않았다. 그러나 불행히도 그들은 무지한 사람들에 비해 매우 적었고, 권위는 전적으로 그들 손에 넘어갔다. 오해가 따르는 것은 불가피했다. 중세의 미신, 편견, 박해와 초기 가르침의 물질화는 지극히 당연한 결과였다. 그 왜곡된 물질주의적 관점은 오늘날까지 이어져 서구 문명의 종교적 사고에 영향을 미치고 있다. 초기 가르침의 타락에 대해 브리태니커 백과사전은 다음과 같이 말하고 있다:

하나님을 전적으로 인간 외부에 있는 존재로 보는 개념, 즉 순전히 기계적인 창조론은 그리스도교 전체에서 신약성경의 가르침과 그리스도인의 경험에 반하는 거짓으로 여겨진다.

그것은 참으로 그리스도의 가르침에 어긋나는 것이지만, "전체 기독교 국가에서" 그렇게 여겨지는 것은 학자들만의 생각일 뿐이다. 대중의 일반적인 관념은 하나님과 인간 사이의 관계를 발명자와 살아있는 기계 사이의 관계와 동일시한다. 이는 절대자를 절대적으로 의인화한 관점으로, 아버지가 아들과 떨어져 있는 것처럼 신을 인간과 떨어져 있는 존재로 생각하는 것이다. 이는 아버지와 아들의 관계에 대한 고상하고 이상적인 개념일 수 있지만, 결국 그런 관계일 뿐이다. 현대 종교적 해석에서 공식적으로 말하는 사람들의 거의 모든 가르침과 설교가 이러한 방식으로 진행된다. 에머슨은 이러한 대중의 오해에 맞서려고 노력했지만, 교회의 극히 일부분을 제외하고는 대부분의 사람에게 이단자로 여겨졌다.

신의 내재성에 대한 생각은 정오와 자정이 다른 것처럼 대중적인 개념과 다르다. 그것은 너무나 근본적으로 다르기 때문에 그 고대 믿음을 받아들이는 사람은 인간이 무엇인지에 대한 자신의 오래된 생각을 제쳐두고 처음에는 실제로 놀랍게 보일 수준으로 인간의 존엄성과 잠재력을 높여야 한다. 왜냐하면 그것은 가장 큰 의미에서 신과 인간이 우리 우주를 구성하는 하나의 영원한 생명과 의식의 두 가지 상태에 불과하다는 것을 의미하기 때문이다! 신의 내재성에 대한 생각은 신이 우주 자체이며, 구름이 바다의 발산인 것처럼 태양계는 최고 존재의 발산이며, 신과 인간의 관계는 단순한 아버지와 아들의 관계 정도가 아니라 바다와 빗방울의 관계라는 것이다. 이 개념에 따르면 인간은 신의 일부이며, 잠재적으로 신의 모든 속성과 능력을 지니고 있다. 구름이 바다를 구성하는 물의 한 표현인 것처럼, 신을 제외하고는 아무것도 존재하지 않으며 인류는 그중 한 부분이며 신의 존재의 한 상태이다. 신의 내재성은 기적적인 창조가 사라지고 진화론적 창조가 그 자리를 차지하기 때문에 과학과 종교가 완벽하게 조화를 이루게 된다.

신에 대한 의인화된 관념이 서양 사상에서 널리 퍼져 있지만, 기독교 경전에서는 신의 내재성을 분명하게 가르치고 반복해서 강조한다. "우리가 그 안에서 살고 움직이고 우리의 존재를 가졌으니"라는 구절은 분명 매우 명확하며 의인화된 해석을 인정하지 않는다. 아들이 아버지 안에서 살고 움직인다고 말할 수는 없다. 이 선언은 더 큰 의식 안에 더 작은 의식이 있고 그 일부를 구성한다는 관계를 제시한다. 인간의 본질적인 신성한 본성은 창세기에서 인간이 신의 형상이라는 선언에서 분명하게 드러난다. 물론 그 형상이 물질적인 측면에 있다고 말하는 것은 터무니없는 말이다. 신성한 본질, 잠재된 힘, 잠재된 영성에서 인간은 신의 일부이기 때문에 하나님의 형상이다. 같은 생각이 시편에 "너희는 신이다"라는 주장과 함께 더 직접적으로 담겨 있다. 신의 내재성에 대한 개념이 옳다면, 궁극적으로 최고 존재의 의식의 일부인 인간은 그 잠재력을 완전한 표현으로 발전시키기 위해 운명지어 신으로 성장할 것이다.

예수는 그의 가르침에서 생명의 하나됨을 분명하게 주장했다. 신의 내재성에 대한 에머슨의 가르침은 그의 산문과 시 모두에서 분명하게 드러난다. “인간, 결과물이 끝나고 원인인 하나님이 시작되는 영혼에는 어떤 장막이나 벽도 없다”고 그는 말한다. 그는 더 명확하게 다음과 같이 말한다:

> 다른 어떤 활과도 비교할 수 없는 존재의 영역,
> 모든 것이 주님의 것일 뿐만 아니라 모든 것이 주님이다.

이 명제는 강렬하면서도 완전하다. “만물이 주님의 것일 뿐만 아니라 곧 주님이다.” 나뭇잎이 나무의 일부인 것처럼, 인간은 나무가 만든 기계가 아니라 나무의 일부이며 나무의 살아있는 일부라는 의미에서 인간은 신의 일부라는 단호한 주장이다. 따라서 오직 하나님만이 인간을 만들었다. 인류는 지고의 존재의 성장, 발전, 발산, 진화적 표현이다.

신지학이 보편적 형제애에 대한 선언을 자연의 사실로 간주하는 것은 모든 생명의 통일성에 근거한다. 신의 내재성은 도덕의 과학적 근거를 제공한다. 신지학의 개념은 인간이 형태상으로는 분리되어 있지만, 우주의 생명 기반인 하나의 의식 안에서 통합되어 있다는 것이다. 서로에 대한 관계는 손가락들의 관계와 비슷하다. 형태 측면에서는 분리된 존재지만, 손을 움직이는 하나의 의식 안에서 통합되어 있다. 만약 각 손가락이 자체적인 의식을 가지고 있고, 그 의식이 자기 자신에 한정되어 손을 넘어설 수 없다고 상상해보면, 이는 모든 생명체의 통일성과 이해관계의 공정한 비유가 될 것이다. 그런 상황에서는 손가락 한 개가 다쳐도 다른 손가락에는 다친 것으로 보이지 않지만, 손가락 의식을 손까지 확장할 수 있다면 모든 손가락에 대한 부상의 실체가 분명하게 드러날 것이다. 마찬가지로 한 인간의 부상은 말 그대로 인류에 대한 부상이다. 단지 의식의 한계 때문에, 그리고 오직 그 때문에 그 진실을 인식하지 못하는 것이다. 로웰은 이 사실을 분명하게 표현했다:

그는 인간에게 진실한 하나님에게 진실합니다;
잘못이 행해지는 곳마다
가장 겸손하고 약한 자에게
모든 것을 보시는 태양 아래서,
그 잘못은 우리에게도 행해집니다;
그리고 그들은 가장 기본적인 노예입니다
옳음에 대한 사랑은 자신을위한 것입니다,
모든 인종을 위한 것이 아니라

인간은 하나의 생명이고, 하나의 영원한 의식의 다른 표현일 뿐이며, 태양의 빛과 온기처럼 분리될 수 없는 존재이기 때문에 인간에게 진실한 하나님에게도 진실하다. 따라서 인간에게 진실한 것이 곧 신에게 충실한 것이다.

대중적인 생각은 사람들이 도덕적이어야 한다는 것이다. 왜냐하면 그러한 종류의 행동은 최고 존재를 기쁘게 하고 도덕적 법칙을 어긴 사람들은 어떤 식으로든 신체적 존재 이후의 삶에서 처벌받을 것이기 때문이다. 국가는 범죄에 상응하는 처벌을 만들어내며, 법 위반을 억제하기 위해 처벌로 위협하는 것은 외부 권위에 대한 믿음이다. 그러나 신의 내재성은 모든 자연법 위반에 대해 처벌이 아니라 결과가 자동으로 따르는 상황을 나타낸다. 이러한 상황에서는 처벌이 필요하지 않고, 올바른 행동을 보장하기 위해서는 지식만 있으면 된다. 왜냐하면 악한 행위로부터의 결과로부터는 어떠한 가능한 탈출도 없다는 것을 인식하기 때문이다.

두 가지 사고 체계의 상대적 가치를 인간사에서 실제 시험해 보면 어렵지 않게 알 수 있다. 정신력이 뛰어나지만 파렴치한 사람이 법의 한도를 안전하게 지키면서 다른 사람의 수입을 획득하여 막대한 재산을 축적하고 있다고 상상해보라. 그가 법을 위반한 것은 아니므로 기소할 수 없지만, 그럼에도 불구하고 우리는 다른 사람에게 피해를 입히고 있으며 결과적으로 여론이 그를 비난할 것이라고 지적할 수 있다. 그러나 그런 사람은 보통 여론을 전혀 신경 쓰지 않으며 해로운 일을 계속해서는 안 될 이유를 찾지 못한다. 그러나 만약 그가 모든 생명은 하나이며 우리는 의식으로 서로 연결되어 있어 다른 사람에게 상해를 입히면 궁극적으로 그 상해를 가한 사람에게 반응할 수밖에 없다는 것을 이해하게 된다면, 다른 사람을 노예로 만드는 것은 자신에게 사슬을 채우는 것이고, 다른 사람을 불구로 만드는 것은 자신을 공격하는 것이라는 것을 분명히 이해한다면, 그는 도덕적인 길을 따르도록 유도하기 위해 외부 지옥에 대한 공포나 법적 처벌의 위협도 필요하지 않을 것이다. 그는 자신의 행동이 모두의 복지와 조화를 이룰 때에만 자신의 더 크고 진정한 이기심을 충족시킬 수 있다는 것을 알 것이다. 신의 내재성이 도덕의 과학적 근거를 제공한다고 말하는 것은 진리에 대한 단순한 진술에 불과하다.

CHAPTER Ⅲ. 영혼의 진화

우리가 신의 내재성에 대한 생각을 받아들인다면 우리는 인간과 그가 존재하는 지구의 기적적인 순간적 창조에 대한 믿음을 버려야 할 것이다. 인류가 원래 한 쌍의 인간에게서 나왔다는 낡고 터무니없고 비과학적이며 불가능한 생각은 영혼의 진화 가설로 대체되어야 한다.

19세기 중반 이후 과학자들과 신학자들 사이에 큰 논쟁의 폭풍이 몰아친 것은 진화론의 사실에 관한 것이었다. 진화론적 진리는 처음에는 잘 이해되지 않았다. 그들은 신의 존재를 의심하거나 부정하는 것처럼 보였다. 인류의 내면 깊은 곳에는 직관적인 종교적 믿음이 있다. 그것은 마치 엄마에 대한 아이의 믿음처럼 모든 사실을 초월하는 자연스러운 믿음이다. 진화론은 지구의 시작에 대한 모든 선입견에 반하는 것이었기 때문에 처음에는 믿음을 무너뜨리고 희망을 파괴하는 것처럼 보였고, 사실과 이성 자체에 맞서 영적인 강렬함을 지닌 직관의 항의가 일어났다. 사람들은 과학이 신에 대한 믿음을 파괴하려 한다는 것을 이성보다 더 많이 느끼고 외쳤다. 그러나 시간이 지나면서 그들이 진화의 의미를 잘못 해석한 것일 뿐이라는 것이 증명되었다. 더 많은 이해는 진화가 신에 대한 믿음을 파괴하는 대신에, 우리에게 전체 문제에 대한 새롭고 더 나은 이해를 제공했으며 불멸의 희망을 이전에 차지했던 것보다 더 확고한 기반 위에 올려놓았다는 것을 보여주었다.

진화는 확립되고 일반적으로 받아들여지는 사실이다. 이제 교육받은 사람이라면 누구도 이 사실에 의문을 제기할 생각을 하지 않을 것이다. 물리적 세계의 모든 사물이 길고 느리고 점진적인 진화를 통해 지금의 모습이 되었으며, 형태가 가장 완벽하고 기능이 가장 복잡한 유기체가 단순한 것에서 진화했다는 것은 논란의 여지가 없는 사실로 정착되어 있다. 기적의 시대는 지나갔고 물질세계와의 관계에 관한 한 기적에 대한 믿음은 사라졌다. 더 이상 존재하는 것을 설명하기 위해 자연법칙을 무시하고 기적을 행하는 의인화된 신에 대한 믿음이 필요하지 않다. 과학은 우주를 이해할 수 있는 수준으로 축소시켰고, 미미한 물리적 물질을 통해 지구가 어떻게 존재하게 되었는지 이해할 수 있음을 보여주었다.

하지만 물질적인 것들에 진화 법칙을 적용하는 데서 멈춰야 하는 이유는 무엇일까? 생명은 물질의 산물이라고 주장하는 철저한 유물론자만이 논리적으로 그렇게 할 수 있으며, 과학계에서 올리버 로지 경과 같은 위대한 권위자는 더 이상 과학적 유물론과 같은 것은 없다고 주장했다. 영혼의 존재에 대한 생각을 받아들이는 사람들은 반드시 영혼의 진화에 대한 생각을 받아 들여야 한다. 어떻게 의식이 의식의 표현을 위해 매체를 진화시키는 법칙에서 벗어날 수 있을까? 물질의 진화가 있는 것처럼 정신의 진화도 분명히 존재해야 할 것이다. 물질과 정신, 형태와 생명은 분리될 수 없다. 실제로 과학의 발전은 이제 물질이라는 개념이 거의 사라지고 물질은 단지 힘의 표현에 불과하다는 사실을 직시하게 되었다. 그렇다면 어떻게 더 이상 영혼에 대해 말하면서 영혼의 진화를 받아들이지 않는 것이 가능할까? 심리학은 생리학 못지않은 과학이다. 의식 현상은 물리적 현상만큼이나 확실히 연구되고 있으며, 백만 개의 태양과 그 행성을 설명하는 것보다 무수한 영혼을 설명하는 것이 더 어렵지 않다. 우주에는 물질적인 측면뿐만 아니라 영적인 측면도 있다는 입장을 취한 과학자들은 현대 세계에서 가장 저명하고 저명한 과학자들 중 한 명이다. 진화가 물질적인 측면에서 별이 빛나는 하늘을 만들었다면, 마찬가지로 영적인 측면에서 우리 세계의 인간 영혼과 다른 사람들도 진화했다. 어느 쪽을 이해하는 것이 다른 쪽을 이해하는 것보다 어렵지 않다.

과학적 관점에서 볼 때, 지구와 인류의 창조에 대한 오래된 대중적 믿음은 물론 어처구니없는 것이다. 만약 현재 순간 이전에 대해 아무것도 알 수 없고 도시, 배와 철도, 경작된 들판과 공원 등 우리가 보는 세상을 설명하도록 요구받는다면, 영혼의 순간적인 창조를 믿는 많은 사람들은 하나님이 인간의 사용과 오락을 위해 이 모든 것을 그대로 만들었다고 주장함으로써 많은 정신적 노력을 아낄 수 있을 것이다.

그러나 우리는 세상이 순간적으로 존재한다고 생각하는 것, 즉 어느 날은 아무것도 존재하지 않고 다음 날에는 모든 기차가 준비된 도시 사이를 정시에 운행하며 준비된 사람들을 태우고 다니는 것을 생각하는 것이 완전히 터무니없는 일이라는 것을 알고 있다. 이것은 물질적인 용어로 표현하고 있기 때문에 우스갯소리처럼 들린다. 그러나 사실상 도시와 기차의 창조자들을 순간적으로 창조하는 것을 생각하는 것보다는 덜 우스꽝스러운 것이다.

우리가 한 순간에 창조되었다는 생각은 인간의 영혼이 무엇인지에 대한 매우 모호한 개념 때문에 가능한 것이다. 인간의 영혼이 그 몸과 함께 새롭게 생겨났다는 대중적인 개념의 가장 큰 어려움은 그것이 모호하고 불명확한 생명 개념이며, 우리가 그것에 대해 진지하게 생각하기 시작하는 순간 그 생각의 약점이 분명해진다. 그러한 개념은 추론의 과정과는 아무런 관계가 없다. 영혼이 허공에서 생겨나는 것이 가능하다고 믿는 사람과 어떻게 논리적으로 대화할 수 있을까? “하나님이 그렇게 했다”고 말하면 모든 문제가 해결되는 마당에 “왜 그리고 어떻게”에 대해 논리적으로 생각하는 것이 어떤 의미가 있을까?

수백만 개의 영혼이 눈 깜짝할 새에 창조되었을 뿐만 아니라 지금의 세계도 마찬가지로 갑자기 창조되었다고 믿지 못하는 한 가지 이유는, 우리가 세계의 역사를 조금 더 과거로 거슬러 올라가면 확실히 알 수 있으며, 역사는 지구와 그 위의 모든 생명체가 느린 진화의 산물이라는 것을 확인시켜주기 때문이다.

영혼의 진화는 종교의 영역을 과학적 근거 위에 올려놓는다. 영혼의 기원뿐만 아니라 영혼의 발달과 운명도 한 번에 새로운 빛으로 비춰진다. 마음은 본능적으로 영혼의 진화에 대한 생각의 존엄성에 감명을 받으며, 그 결과인 신의 내재성과 함께 인간의 신성을 본질적인 사실로 만든다.

CHAPTER IV. 육체적 사망 이후의 삶

현대 생활에서 정말 놀라운 사실 중 하나는 육체가 죽은 후에도 의식이 지속된다는 것을 증명하는 과학적 증거와 기타 증거를 있는 그대로 받아들이지 않으려는 경향이 있다는 것이다. 그러한 증거가 많이 존재하며 그 중 상당수는 최고 수준의 과학자들에 의해 제공되고 있지만, 일반인들은 이 주제에 대해 아직 확실히 밝혀진 것이 없는 것처럼 계속 이야기하고 있다. 진리가 발견되어도 인간의 마음은 그것에 매우 천천히 적응하는 경향이 있다. 때로는 위대한 진리의 발견과 일반적인 수용 사이에 한 세대가 지나가기도 한다. 증기를 이용한 배와 자동차의 도입에 대한 격렬한 반대와 사고방식의 급진적 변화에 대한 세상의 느린 적응을 떠올리면, 육체의 죽음 이후의 생명에 대한 진실이 일반적으로 인식되기를 그렇게 오래 기다렸다는 사실이 덜 놀랍게 느껴질 수도 있다.

의식의 연속성에 대한 믿음의 근거가 되는 증거는 물리학과 심령학이 제공하는 두 가지 종류가 있다. 이 두 가지를 합치면 매우 완벽한 근거가 된다.

첫 번째 부문인 물리학적 증거의 인쇄물은 방대하다. 심령연구학회에서 수집한 것 외에도 영국, 프랑스, 이탈리아 과학자들의 연구와 실험이 있는데, 그중에는 크룩스, 로지, 플라마리온, 롬브로소 등이 있다. 크룩스는 인간의 의식을 연구하고 죽음이라는 변화 너머의 활동을 추적하는 작업의 선구자였다. 수많은 귀중한 발견과 발명을 가능하게 하고 세계적인 명성을 얻게 해준 예리한 지성과 뛰어난 과학적 지식이 이 주제에 적용되었고, 그는 4년 동안 인내심을 갖고 조사하고 실험했다. 당시 그가 편집장으로 있던 저널 오브 사이언스에는 그의 연구를 자세히 설명하는 많은 삽화 기사가 게재되었다.

윌리엄 크룩스 경은 심령 연구에서 세 가지 중요한 점을 확립했다. 첫 번째는 초능력이 존재한다는 것이었다. 그는 공중부양(levitation)으로 그것을 증명했다. 다음으로 그는 그 힘이 지성에 의해 조종된다는 것을 보여주었다. 그는 여러 가지 재치 있는 실험을 통해 그 사실에 대한 결정적인 증거를 얻었다. 그런 다음 그는 그 힘을 지시하는 지성이 살아있는 사람의 것이 아니라는 것을 증명했다. 크룩스는 또한 물질화(materialization)라는 주제를 철저하게 연구했고 여기서도 높은 성과를 거두었다. 그는 물질화된 인간의 모습을 촬영하고, 저승에서 다시 돌아온 사람과 직접 대화를 나눈 최초의 과학자였다. 카메라에 담긴 이 증거는 특히 흥미로운 것으로 간주되어야 한다. 당시에는 매우 놀랍게 받아들여졌지만, 그것은 물질의 본질에 대한 우리의 잘못된 생각을 수정하기 전이었고 액체 공기(공기를 압축·냉각시켜 얻는 것으로 냉각제로 사용한다)의 시대가 오기 전이었다. 액체 공기가 바로 눈에 보이지 않는 물질이 눈에 보일 정도로 응축되어 무게를 측정하고, 눈으로 보고, 물리적 감각으로 알 수 있게 된 것이기 때문에 물질화는 더 이상 놀라운 개념이 아니다.

이 모든 일은 윌리엄 크룩스 경이 자신의 연구실에서 가장 엄격한 과학적 조건에서 수행한 것이다. 현대 과학에 알려진 모든 방법과 메커니즘이 사용되었고, 마침내 그는 관찰된 현상의 진위를 완전히 만족하고 받아들인다고 발표했다.

윌리엄 크룩스 경이 가장 먼저 의식의 연속성을 연구했다면, 올리버 로지 경은 가장 최근에 의식의 연속성을 연구한 유명한 과학자 중 한 명이다. 그는 과학진흥협회(Society for the Advancement of Science)에서 이 주제에 대한 강연을 통해, 육체적 죽음 이후의 생명은 과학이 합법적이고 유익하게 조사할 수 있는 주제일 뿐만 아니라 보이지 않는 영역의 존재가 확립되었다고 선언했다. 그는 보이지 않는 세계의 대륙이 발견되었다고 선언하며 "이미 대담한 탐험대가 그 위험하지만 유망한 해안에 상륙했다."고 덧붙였다.

과학자마다 특정 종류의 심령 조사를 전문으로 하는 분야가 다르며,

크룩스가 물질화에 대해 상세하고 신중한 연구를 한 반면, 로지 경 역시 "영매(medium)"라고 알려진 이들을 이용한 조사에 똑같이 고된 노력을 기울였다. 영매는 반드시 투시력이 있는 것은 아니며, 일반적으로 투시력이 없는 경우가 많다. 에테르 물질이 물리적 물질과 쉽게 분리되는 신체를 가진 사람이 영매이며, 보이는 세계와 보이지 않는 세계를 잇는 일종의 전화기 역할을 한다. 영매는 정상적인 사람은 아니며, 그 비정상의 정도에 따라 좋은 영매가 된다. 만약 신체의 에테르 물질이 쉽게 추출되면 육체는 쉽게 트랜스 상태에 빠지고, 그 몸을 소위 "죽은" 사람이 일시적으로 소유하여 대화의 메커니즘을 작동시킬 수 있다. 이러한 경우, 영매가 사자(死者)를 대변해서 말하는 것이 아니다. 영매 자신의 입으로 말하고 있지만, 그는 종종 크게 어려움을 겪으며 의도한 생각을 정확하게 표현하지 못할 수도 있다. 영매는 자신의 것과 다른 생각, 기분 및 감정과 싸워야 할 수도 있으며, 그 어려움을 어느 정도 이해하는 사람들에게는 이러한 의사소통이 자주 만족스럽지 못하다는 것은 이상하지 않다. 초 물리적 상태를 물리적 차원에서 이해할 수 있는 비유를 찾을 수 있는 경우는 많지 않다. 그래도 수십 명 중 한 명이 언제든지 사용할 수 있는 "파티 라인(party line. 공동으로 쓰는 전화선)"전화를 생각하면 어느 정도 이해가 가능할 수 있다. 그 중 한 명과 대화를 시도하는 청취자는 다른 여러 사람이 계속해서 "전환"하여 혼란스러워질 수 있다. 소리에 의한 목소리의 구분을 없애고 청취자에게 전달되는 모든 단어를 속기 기록한다면, 그 기록은 종종 단편적이고 사소한 것임을 알게 될 것이다. 하지만 그렇다고 해서 그 대화가 생명체로부터 나온 것이 아니며, 적어도 한 명 이상의 지적인 사람이 존재하지 않는다는 것을 증명할 수는 없다. 심령 연구에 종사하는 과학자들도 비슷한 경험을 한다는 것은 더 이상 증명할 것도 없다.

이러한 초자연적인 의사소통의 증거 가치는, 숙련된 과학자의 지시 아래에서도 그다지 크지 않다는 것이 일반적인 의견인 것 같다. 그러나 알 수 있는 방법이 있다. 조사자가 영매에게 알려지지 않은 사건뿐만 아니라, 영매가 이해할 수 없는 과학적 사실 등으로 작업을 제한하는 것은 전혀 어렵지 않다. 영매가 일반적으로 기술적 과학 지식이 없는 사람들이라는 것은 잘 알려진 사실이다. 어느 정도의 교육을 받은 영매도 있고 아예 문맹인 영매도 있다. 가장 유명한 영매 중 일부는 유럽의 농민 계급에 속한다.

올리버 롯지 경이 저승으로 떠난 과학자와 대화를 시도한다고 가정해 보자. 그는 과학자만이 대답할 수 있고, 그 대답도 영매는 이해할 수 없는 기술적인 과학 질문을 던질 것이다. 또는 위대한 작가가 직접 서명한 글을 영매로부터 전달받는다고 가정해 보자. 사자(死者)가 예리한 분석과 건전한 문학적 판단의 힘으로 가득 찬 그만의 독특한 스타일로 어떤 신간 서적에 대한 비평을 쓴다고 가정해 보자. 물론 영매가 스스로 이런 것들을 만들어내고 있다고 믿을 사람은 아무도 없을 것이다. 영매에게 그런 능력이 있다면, 그는 영매를 생계 수단으로 삼지 않을 것이다. 하지만 과학자들은 여기서 멈추지 않는다. 우리는 종종 "교차 대응"이라는 표현을 듣는다. 이것이 의미하는 바는 무엇이며 통신 중인 사자의 개인 신원을 어떤 방식으로 증명할 수 있을까? 이 원리는 호텔 점원의 방법으로 설명할 수 있다. 때때로 손님이 점원에게 돈을 맡기고 돌아갈 때 자신의 신원을 완벽하게 확인하고 싶어 하는 경우가 있다. 그래서 점원은 손님에게 카드에 서명을 해달라고 요청한다. 그런 다음 카드를 두 장으로 찢어서, 한 장은 손님에게 주고 다른 한 장은 자신이 보관한다. 이렇게 하면 이중으로 신원을 증명할 수 있다. 그가 돈을 찾으러 오면 먼저 자신의 이름을 말한 다음, 점원이 보관하고 있는 카드의 울퉁불퉁한 가장자리에 맞는 카드 조각을 만들어 두 개를 합쳐 전체를 만들고 서명을 복원해야 한다. 이것은 가장 간단하면서도 가장 만족스러운 증명 방법 중 하나이다. 카드의 어느 한 조각만으로는 식별할 수 없다. 한 조각을 잃어버리고 다른 조각을 찾아야 한다면 아무도 그것을 읽거나 알아낼 수 없다. 다른 조각이 없으면 이름을 추측할 수도 없다. 그는 자신이 가지고 있는 부분만 알 수 있다. 도둑이고 자신이 발견한 것을 사용하여 사기를 치고 싶어 할 수도 있지만, 식별할 수 있는 완전한 조각을 만드는 데 필요한 두 부분 중 하나만 가지고 있기 때문에 그는 무력하다. 이것이 바로 교차 대응에 의한 신원 확인의 원리이다. 메시지의 일부는 한 영매를 통해, 일부는 다른 시간에 다른 장소에서 다른 영매를 통해 작성되며, 어느 부분도 다른 부분에 맞출 때까지 완전한 진술을 제시하거나 일관성을 갖지 못하므로 정직하지 못한 영매는 그럴듯한 이야기를 만들어낼 수 없다.

죽은 사람이 아직 살아 있다는 증거를 전적으로 과학적 조사에만 의존하는 것은 아니다. 우리는 죽음 이후에도 생명이 여전히 존재한다는 증거를 얻기 위해 노력하고 있다. 수많은 사람들이 이 문제에 대해 어느 정도 개인적인 지식과 경험을 가지고 있다. 그 숫자는 두 가지 이유로 실제보다 훨씬 많다. 하나는 평범한 사람들이 조롱당할까봐 두려워서 자신의 오컬트 경험을 감추기 때문이다. 다른 하나는 세상을 떠난 친척의 대화가 공개적으로 토론하기에는 너무 신성하고 개인적인 느낌 때문이다. 수만 명의 사람들이 영적 집회에서 시연을 본 적이 있으며, 이러한 시연은 과학적 관점에서는 증거 가치가 부족하지만, 심령 현상이라는 측면에서는 매우 중요한 자리를 차지하고 있다. 그러나 더 설득력 있는 증거는 수백 개의 가정에서 가족 구성원 중 일부가 영매나 자동서술(automatic writing) 작가로 활동하는 사례에서 제공된다.

가장 설득력 있는 증거가 항상 과학적 증거인 것은 아니다. 가족 구성원이 집에서 제공하는 증거보다 더 설득력 있는 증거는 무엇이 있을까? 영매와 자동서술을 통해 얻은 그러한 증거가 많이 있다.

자동서술, 즉 육체를 잃은 다른 사람의 생각을 기록하기 위해 살아있는 사람의 손을 제어하는 것은 아마도 아스트랄 영역에서 온 의사소통의 가장 온화한 방법 중 하나일 것이며, 이를 통해 우리는 보이지 않는 지역의 삶에 대한 흥미로운 설명이 담긴 유용한 책들을 얻을 수 있다. 물론 여기서도 다른 곳과 마찬가지로 판별이 필요하다. 현명한 사람과 어리석은 사람, 유용한 것과 쓸모없는 것은 함께 존재한다. 받아들이거나 거부할 때에는 가치 있는 것과 쓸모 없는 것을 구분하기 위해 상식을 이용해야 한다. 그런 문제에서 우리는 산 자와 죽은 자의 지성과 도덕성이 변하지 않는다는 사실을 간과해서는 안 된다. 여기서의 천재는 저기서의 천재와 다를 바 없고, 살아있는 바보도 죽은 바보와 다르지 않다. 종종 가장 적게 아는 사람이 가장 많이 말하고 싶어 하며, 때때로 영매나 자동서술 작가가 그들에게 기회를 주기도 한다. 그 결과 우리는 집회에서 많은 어리석은 의사소통과 대량의 진부한 허황된 말을 듣게 된다. 그러나 개인 신원에 대한 의심할 여지 없는 증거를 얻는 경우도 있는 것은 사실이다.

육체의 상실 후에도 의식이 살아있음을 증명하는 가치 있는 비과학적 증거가 많이 있으며, 이는 종종 존중받는 출처에서 나온다. 다음 두 가지 사례는 과학적 증거의 확증으로 인용되고 있다.

개성에 대한 소소한 터치는 종종 가장 설득력 있는 증거로 여겨진다. 일반적으로 사람들이 육체적 죽음 이후에도 살아 있다는 것을 보여주는 것과, 의사소통을 하는 사람의 개인적 정체성을 확립하는 것은 전혀 다른 문제이며, 이는 관련된 중요한 포인트 중 하나이다. 저명한 저널리스트인 W. J. 스틸먼은 개인 정체성에 대한 몇 가지 귀중한 증거를 제시한다. 그는 어린 시절 런던에서 미술을 공부했는데, 위대한 화가 터너는 그가 죽기 전에 스틸먼에게 그림에 대한 조언을 해주겠다고 자원했지만, 그 약속을 지키지 못한 채 세상을 떠났다. 스틸먼은 어떤 친구의 딸에게 영매 능력이 있어 실험을 해보기로 결정했다. 영매술을 시작하자마자 어린 소녀는 자신이 터너라고 주장하는 존재에게 빙의되었다. 스틸먼은 말로는 어떤 질문도 하지 않았지만, 마음속으로 터너에게 자신의 이름을 써달라고 요청했다. 그에게 돌아온 답은 고개를 힘차게 흔들며 부정하는 것이었다. 그러면 그에게 그림에 대한 조언을 해줄 수 있는지 물었더니 대답은 또다시 단호한 부정이었다. 스틸먼은 자신이 어리석게도 시간을 헛되게 낭비하고 있다고 느끼고 세션을 종료하겠다고 선언했다. 하지만 소녀는 가만히 앉아 있었다. 그러다가 잠시 후, 그녀는 늙은이처럼 천천히 일어나 벽에서 석판화를 꺼내 그림판 위에 종이를 펴고 연필을 깎고 윤곽을 그리고 그림을 칠해가는 등의 행동을 했다. 그리고 빛을 연출하는 간단하지만 놀라운 방법을 보여주었다. "터너가 정말로 그런 식으로 효과를 얻었다는 건가요?"라고 어떤 의심 많은 젊은 예술가가 물었다. 대답은 확실한 긍정이었다. 이어서 스틸먼은 터너의 유명한 그림 "랜토니 수도원"에서 비가 내리면서 햇빛과 그림자가 비를 통과하는 중앙 통로가 실제로 그런 식으로 그려졌는지 물었고, 또 한 번 강한 긍정의 대답이 돌아왔다. 젊은 예술가는 이것이 사실일 수 없다고 확신한 나머지 혐오감을 표현하며 갑작스럽게 떠났다. 몇 주 후 스틸먼은 러스킨을 찾아가 그 경험을 이야기했다. 죽은 예술가와 친하게 지냈던 러스킨은 집회 초반에 보였던 영매의 모순적인 태도가 터너의 특징적인 성격이었다고 말했다. 그러나 더 중요한 증거로서, 이 문제의 그림은 러스킨이 소장하고 있었으며, 그들은 그림을 벽에서

떼어내 조사하기 시작했다. 이 위대한 미술 평론가와 젊은 예술가는 면밀한 조사 끝에 이 그림이 묘사된 방식대로 그려졌다는 데 이의를 제기할 여지가 없다는 데 동의했다.

이러한 증거는 영성가도 전문 수사관도 아닌 사람들로부터 나올 때 더 큰 가치를 가진다. 그들은 의심스러운 것들이 설득력 있는 방식으로 자신에게 던져지기 때문에 다른 사람들을 깨우치기 위해 자신의 경험을 기록해야 한다는 충동을 느낀다. 칼 슈르츠의 마지막 문학 작품에서 우리는 남북전쟁 직후 한 집회에서 우연이라는 설명의 여지를 일소할 정도로 세부적으로 미래를 예언받은 경험에 대한 증언을 우연히 얻을 수 있었다. 1865년 7월, 슈르츠는 존슨 대통령의 소환을 받고 워싱턴으로 향하던 중 친구인 티데만 박사의 집이 있는 필라델피아에 들렀다. 약 열다섯 살이었던 티데만 박사의 딸은 자동서술을 할 수 있었다. 가족들과 함께 흥미와 즐거움을 위해 소녀는 자신의 심령 능력을 선보였다. 슈르츠는 최근 고인이 된 링컨 대통령과 개인적으로 친분이 있었기 때문에 자연스럽게 그에게 연락을 요청했다. 소녀는 링컨이 보낸 것으로 추정되는 메시지를 썼다. 그것은 정치와 관련이 있었고, 예기치 않은 사실들에 대한 예언으로 시간이 지나면서 그것이 정확한 예언임이 증명되었다! 당시 위스콘신에 거주하고 있던 슈르츠는 거주지를 옮길 생각이 없었고, 2년이 지난 후에도 그렇게 하지 않았다. 그런데 소녀가 쓴 메시지는 슈르츠가 미주리주에서 미국 상원의원에 선출될 것이라고 주장했다. 그는 그 메시지를 신빙성이 있다고 생각하지 않았고 당연히 그 예언을 터무니없는 것으로 여겼다. 하지만 1867년 그는 세인트루이스에 거주지를 정했고, 1869년 1월 미주리 주의회에서 미국 상원의원으로 선출되었다.

물론 과학적 증거에 관한 한, 당연히 여기서는 이를 제시하려는 시도를 하지 않는다. 단지 주목할 만한 연구를 수행한 저명한 과학자들에 대한 관심을 환기하고 흥미로운 발견 몇 가지를 언급하려는 의도가 있을 뿐이다. 증거를 자세히 살펴보고자 하는 분들은 그 증거가 방대하다는 것을 알 수 있을 것이다.

물리학적 관점에서만 보면, 의식의 연속성에 대한 증거는 설득력이 있을 뿐만 아니라 결정적이다. 그러나 오컬트 과학은 훨씬 더 많은 것을 제공한다. 오컬트 능력의 존재에 대한 개인적인 지식이 없는 사람들에게 그러한 증거는 진술의 내재적 합리성에 기반하여 제시될 수 있을 뿐이다.

투시(clairvoyance)의 진실은 다른 모든 진실과 마찬가지로 서서히 일반적으로 받아들여지는 과정을 거쳐야 한다. 얼마 전까지만 해도 최면술을 근거 없는 환상적인 이론이라고 비웃는 사람들이 많았지만, 투시에 대한 진실을 개인적으로 알고 있는 사람들이 빠르게 증가하고 있다. 상상할 수 있는 모든 수준의 투시력이 존재하며, 어느 정도의 초물리적 민감성은 오히려 상당히 흔해지고 있다.

투시에는 두 가지 명확한 유형이 있으며, 대중에게 가장 많이 알려진 투시는 신뢰를 불어넣을 만하지 않다. 그것은 주로 "운세 알려주기"로 알려져 있으며, 종종 돈 벌기에만 관심이 있는 사람들이 독점적으로 사용한다. 당연히 그러한 사람들 사이에서는 속임수와 사기가 발견되며, 그로 인해 유능하고 정직한 사람들이 고통을 겪는다.

점쟁이는 보통 스코틀랜드 사람들이 부르는 것처럼 "제2의 시력"을 가지고 태어난 사람이지만, 거의 예외 없이 이 원리를 전혀 이해하지 못한다. 물리적 감각으로는 알 수 없는 어떤 사실을 자기 의식 속에서 발견하지만, 왜 또는 어떻게 그런 정보를 얻는지는 알지 못한다. 이러한 형태의 투시는 중추 신경계와 관련된 감각성으로, 그 중심은 태양신경총이다. 그것은 정신과는 아무런 관계가 없으며, 지능과도 관계 없고, 오히려 가장 무지하고 거친 사람들이 - 실제로, 일반적으로 - 흔히 가지고 있다. 높은 수준으로 진화한 사람들보다 인디언과 흑인 사이에서 훨씬 더 흔하다. 이것은 생각이 아닌 감정의 영역에 속하며 결국 천천히 사라져갈 것이다.

유일하게 진정한 "선명한 시각(clear seeing)"인 투시는 뇌-척추 신경계와 관련이 있으며, 그 장소는 뇌에 있다. 이것은 다른 것과 달리 "타고난 재능(물론 실제로 타고난 재능이란 실제로 존재하지 않는다. 자연은 어떤 것을 선호하고 다른 것을 무시하지 않는다. 몇몇 사람이 다른 사람에게 없는 것을 소유하고 있다면, 그것은 그들이 그것의 발달에 특별한 주의를 기울여 얻은 것이거나, 교감신경계의 심령적 민감성의 경우처럼 잔재성으로, 과거 시대에 인류가 가지고 있었던 것이다.)"은 아니지만, 모든 인간에게 잠재적으로 내재되어 있다. 그것은 위대한 심령 과학자들의 직접적인 감독 아래 오랜 기간 훈련을 받는 특별한 기회가 주어진 일부 사람에게서 고도로 발달되었다. 점쟁이들 사이에서는 그런 투시력을 찾아볼 수 없다. 인생에 대한 진지한 시각과 인간에 대한 헌신적인 노력을 가진 사람만이 그러한 훈련을 견뎌내는 인내와 끈기를 가질 것이며, 오직 순수한 삶을 사는 사람만이 성공할 가능성이 있다. 그러한 투시자들은 예리한 지성을 가진 사람들이다. 그들은 특별한 훈련과 엄청난 노력으로 우리 대부분에게는 불가능한 진화를 추진하여 인류가 몇 세기가 걸려야 도달할 수 있는 발전을 이룩했다.

보이지 않는 영역을 탐구하고 고대의 지혜에 추가 지식을 축적하는 것은 이 고양된 투시력의 명령을 사용함으로써이다. 그러한 투시자는 영매가 아니다. 영매는 다른 존재를 자기 신체의 물리적 메커니즘을 포기한다. 다른 존재는 영매를 통해 말하고, 집회가 끝날 때 영매는 무슨 일이 일어났는지 아무것도 알지 못한다. 투시자는 항상 자신의 감각을 소유하고 있으며, 무슨 일이 일어나고 있는지 완전히 인식하고 있다. 그는 탐험가이자 발견자이다. 그는 육체적 죽음 이후의 삶에 대한 사실을 물리 과학자와는 다른 방식으로 다루지만, 곧 학생에 의해 물리학자와 심령학자가 서로를 확증한다는 것을 알게 된다. 그들은 함께 생명이 영원하다는 가설, 지금 이 순간 우리가 가지고 있는 의식은 결코 사라지지 않는다는 가설, 현재의 모든 기억을 포함한 우리의 개성은 영원히 지속된다는 가설, 우리가 죽음이라고 부르는 것은 실제로는 질서 있는 진화 과정의 전 단계이자 현재 우리가 사는 것과 크게 다르지 않은 더 즐거운 삶의 단계로 들어가는 입구라는 가설을 뒷받침하는 압도적인 증거를 제시한다. 물리학자와 오컬트 과학자들의 공동 연구를 통해 얻은 지식의 총합은 육체의 죽음이 의식의 소멸이나 의식의 급격한 변화를 의미하지 않는다는 결론에 이르게 한다. 사실, 그것은 마치 송골매가 새장에서 풀려나 숲과 개울, 들판과 하늘이 타고난 특성에 새로운 자극을 주는 더 넓은 세상의 즐거운 자유로 나아가는 것처럼 의식이 육체에 갇혀 있던 것에서 해방되는 것을 의미할 뿐이다.

CHAPTER V. 진화 분야

초기 신지학에 관한 논문에서 태양계는 우리의 우주로 간주될 수 있으며, 우리는 그것조차도 작은 단편 이상을 고려할 필요가 없을 것이다. 태양계는 색과 소리로 표현되는 진동에서 볼 수 있듯이 일곱 구조로 이루어진다. 프리즘의 일곱 가지 색을 벗어나면 단지 색조만 있을 뿐이고, 일곱 가지 음을 벗어나면 강박조나 저음만 존재한다. 이와 마찬가지로 일곱 개의 차원이 있지만, 그중 절반 이하만이 우리의 관심을 필요로 한다. 인간 영혼의 진화 영역은 물질계, 감정계, 정신계로 알려진 세 가지 하위 영역에 있다. 인간이 진화를 통해 이 차원들을 초월하면 초인류적 진화 단계로 넘어간다.

신지학 문헌에서 자주 등장하는 "차원"이라는 단어는 정의가 필요할지도 모른다. 이 단어는 광범위하게 사용되며, 지역, 장소, 영역 또는 세계의 동의어로도 여겨진다. 물질 차원을 언급할 때, 이 용어는 우리가 물리적 감각을 통해 알고 있는 지구와 하늘, 그리고 생명을 포괄한다.

우리 태양계에는 일곱 개의 차원이 있는데, 이는 궁극적인 원자의 일곱 가지 조합으로 이루어져 있기 때문이다. 각 차원은 다음 차원과 전혀 다른 등급의 물질로 구성되어 있지만, 모두 태양계의 궁극적인 원자를 기본으로 한다. 현대 과학이 물리적 원자가 복합체라는 사실을 발견했을 때, 이는 물리적 원자가 최종적인 분할 지점이 아니라는 신지학적 가르침을 확인해 주었다. 신지학은 궁극적인 물리적 원자가 분해되면 그 입자들이 다음 차원, 즉 감정계의 가장 거친 물질이 된다고 가르친다. 이 과정을 감정계 물질에 반복하면 궁극적인 원자가 감정계의 가장 높은 수준에서 정신계(mental plane)의 가장 낮은 수준으로 이동하게 된다. 원자가 우주의 벽돌이라고 말한 과학자는 큰 진리를 말한 것이다. 왜냐하면 모든 형태가 이 원자의 조합으로 만들어지기 때문이다. 이 개념을 태양계의 궁극적인 원자에 적용하면, 이러한 "벽돌"로 모든 차원이 만들어진다는 것이 사실이 된다.

서로의 관계는 물질의 상호 침투하는 구체와 같다. 지구와 그 대기로 이루어진 물리적 차원은 천문학적으로 더 큰 구체인 아스트랄 차원, 또는 세계에 의해 둘러싸이고 침투된다. 이 거대한 보이지 않는 물질의 구체는 지구 내부뿐만 아니라 그 너머에도 존재하며, 물리적 물질의 모든 원자를 지구의 중심까지 침투한다. 그 가장 거친 물질조차도 매우 희박하고 그 진동이 너무 강렬하여 물리적 감각에 영향을 미치지 않기 때문에 우리는 그것을 인식하지 못한다. 그 물질이 모든 물리적 물체를 자유롭게 통과할 수 있는 이유는 바로 이 때문이다. 우리가 무선전신의 진동을 통해 전달되는 지능의 메시지에 대해 아무것도 알지 못하는 이유와 동일하다. 그 메시지는 우리가 앉아 있는 방을 통과하지만 우리는 그것을 감지할 감각 기관이 없다. 막대한 군대의 이동, 제국의 몰락, 위대한 국가들의 운명을 포함한 중요한 지능의 메시지가 우리가 점유한 공간을 통해 흐르지만 우리는 전혀 인식하지 못한다. 마찬가지로 아스트랄 세계의 엄청난 활동과 의식에 대해 눈이 멀고 귀가 먹은 상태로 남아 있다. 이는 그 세계가 우리를 둘러싸고 침투하며, 그 형태가 보이지 않고 느껴지지 않음에도 불구하고 물리적 세계를 물이 체를 통과하듯 자유롭게 흐르기 때문이다.

정신계는 지구의 아스트랄 영역보다도 훨씬 더 광대한 영역을 구성한다. 아스트랄 세계가 물리적 지구를 둘러싸고 있듯이, 정신계는 이 둘을 모두 감싸면서 지구의 중심까지 침투한다. "정신계"라는 용어는 우리가 정신과 물질을 반대 개념으로 생각하는 데 익숙하기 때문에 일부 사람들에게 혼란스럽게 느껴질 수 있다. 신지학에서 말하는 정신계, 즉 구체나 차원은 단순한 생각이 아니라 물질의 세계이다. 그러나 이 물질은 매우 희박하여 '마음의 재료'라고 부를 수 있으며, 그 희박한 수준에서는 물리적 감각이 아는 형태라는 개념에서 볼 때 "형태가 없다"고 한다.

이 세 가지 세계 또는 차원—물질계, 아스트랄계, 정신계—는 모두 물질, 형태, 활동, 생각, 그리고 기업의 세계이다. 이들은 동심원 구체로, 물리적 세계는 아스트랄 세계에 둘러싸여 있고, 물리적 세계와 아스트랄계는 정신계에 둘러싸여 있다. 모든 물리적 물질의 내부와 외부에는 아스트랄계와 정신계의 물질이 존재한다. 모든 물질 원자는 아스트랄과 정신계 물질에 의해 둘러싸여 있고 침투되어 있다. 이 관계는 에테르와 물리적 물질의 하위 등급 사이에 존재하는 관계와 정확히 일치한다.

세 가지 세계—물질계, 아스트랄계, 정신계—의 관계를 완전히 이해하면 나중에 혼란을 피할 수 있다. 물리적 언어는 신비학을 공부하는 학생들이 다루어야 할 많은 것들을 완전히 표현할 수 없다. 더 나은 표현이 없기 때문에, 단어들은 진실의 일부만을 표현할 수 있으며, 세 세계의 구성과 관계를 염두에 두지 않으면 때때로 오해를 불러일으킬 수 있다. 따라서 우리는 고차원과 저차원, 내적 또는 외적 세계, 그리고 영혼이 물질적 세계로 "내려오는" 것에 대해 이야기해야 한다. 사실상 공간 이동에 관한 것이 아니다. 아스트랄 차원은 일반적으로 내적 차원으로 언급되지만, 이는 의식이 외부의 물질적 몸에서 철수하여 아스트랄적 감각으로만 인식될 수 있기 때문에 그렇다. 그러나 아스트랄계는 물리적 세계를 해면이 스펀지를 둘러싸듯이 감싸고 있기 때문에 물리적 세계의 외부에 있다고도 할 수 있다. 우리는 보통 고차원에서 저차원으로 내려오는 것에 대해 이야기하는데, 이는 더 높은 진동 상태에서 더 낮은 진동 상태로 의식 상태를 변화시키는 의미일 뿐만 아니라, 아스트랄 차원의 한 지점에서 물리적 지구의 표면 지점으로의 공간 이동을 의미할 수도 있다. "위"와 "아래"는 상대적이며 절대적이지 않다. 우리에게 "아래"는 지구의 중심을 향하고, "위"는 그 반대 방향이다. 서양의 첨탑과 동양의 첨탑은 모두 위를 가리키고 있지만, 서로 반대 방향을 가리키고 있다. 지구 표면 대부분에서 우리는 네 방향을 가지고 있지만, 극지에서는 단 한 방향—남쪽 또는 북쪽—만 있다. 북극에서는 동, 서, 북이 사라진다. 이러한 사실을 반영해 보면, 공간 자체가 내적 차원에서 사라질 가능성을 어렴풋이 이해할 수 있다—우리가 알고 있는 공간이 말이다.

각 차원의 물질은 일곱 가지 유형으로 구성되어 있다. 우리는 물리적 차원의 고체, 액체, 기체에 익숙하며, 여기에 에테르의 네 가지 등급을 추가해야 한다. 아스트랄과 정신계의 일곱 가지 물질 등급은 영혼의 진화를 위한 중요한 메커니즘을 구성하며, 이는 물리적 차원을 넘어서는 삶에서 의식 상태를 결정한다. 그러나 이러한 의식 상태의 연구는 다음 장에서 다룰 부분이다.

신지학을 공부하는 학생이 초기에 극복해야 할 어려움 중 하나는 보이지 않는 영역을 비현실적으로 생각하는 경향이다. 보이는 것 너머의 비현실감을 유발하는 것은 물리적 감각의 한계일 뿐이라는 점을 잊지 말아야 한다. 보이지 않는 영역도 공기나 돌처럼 확실히 물질로 구성되어 있다는 사실을 기억해야 한다. 팬에 담긴 물이 증발하더라도, 물리적 감각을 벗어났다고 해서 물질이 아니게 되는 것은 아니다. 그것은 언젠가 다시 응결되어 액체인 물이나 고체인 얼음으로서 역할을 할 것이다. 물질이 특정 형태로 있을 때만 우리는 물리적 감각을 통해 그 존재를 알 수 있다.

오컬트를 공부하는 사람들은 종종 고인이 지구를 떠났다고 말하는 것을 듣는다. 하지만 아스트랄 차원 혹은 세계로 넘어간다는 것은 지구를 떠나는 것이 아니다. 아스트랄 세계와 정신계는 모두 지구의 일부이다. 대기가 눈에 보이지 않지만 지구의 물리적 물질의 일부인 것처럼, 보이지 않는 아스트랄과 정신 영역도 지구의 다른 부분이다. 이들을 '세계'라고 부르는 이유는 그곳의 의식 속 활동들이 우리 일상과 마치 다른 행성에 있는 것처럼 멀리 떨어져 있기 때문이다. 우리는 물리적 감각으로 지구를 정말로 보고 알고 있다고 잘못 생각해왔지만, 사실 우리는 물리적 물질로 이루어진 지구의 작은 단편만을 알고 있었던 것이다. 우리의 제한된 감각 너머로는 더 크고 장엄한 지구의 영역이 펼쳐져 있으며, 그곳은 더 강렬한 생명의 진동으로 가득 차 있다.

CHAPTER VI. 의식의 메커니즘

영혼은 전체의식, 즉 태양 로고스의 생명 안에 있는 의식의 중심이며, 우주적 마음의 개별화된 부분이다. 신성한 생명의 그 조각은 잠재된 신과 같은 속성을 지니고 있으며, 다양한 차원의 물질로 형성된 의식의 메커니즘을 통해 표현된다. 자연스럽게도 그것은 낮은 차원보다 높은 차원에서 더 완전하게 표현된다. 매우 높은 차원에서는 그것을 모나드라고 부른다. 그것이 정신계의 상위 하위 구분에 도달하면, 그것은 자아(ego)가 되며, 로고스에서 모나드를 통해 흘러나오는 동일한 신성한 생명의 더 작은 표현이다. 이는 더 낮은 차원의 더 밀집된 물질을 통해 기능하기 때문에 더 작게 표현된다.

최근 몇 년 동안 물질의 본질에 대해 얻은 지식은 의식의 활동을 이해하는 데 도움이 된다. 원자는 힘의 중심으로 밝혀졌으며, 우리가 알던 물질은 사라져 버린다. 태양계의 모든 힘과 의식은 로고스의 생명일 뿐이며, 더 높은 차원에서는 우리가 여기서 관찰하는 구분이 사라진다. 물질은 우리가 아는 물질과는 매우 다른 것이 된다. 물리적 세계의 에테르는 상상할 수 없을 정도로 희박한 물질이다. 그러나 그것조차도 가장 낮은 등급의 아스트랄 물질과 비교하면 거칠다. 정신계의 물질은 아스트랄 세계의 가장 희박한 물질보다 훨씬 더 희박하다. 이러한 사실을 고려할 때, 더 높은 차원의 물질이 의식의 진동에 반응한다는 것을 이해하는 데 큰 상상력을 필요로 하지 않는다.

개별적인 의식 중심에서 발산되는 에너지가 해당 차원의 물질에 작용하여, 의식이 더 완전하게 표현될 수 있는 매개체로 서서히 성장하는 막을 형성한다. 이 매개체는 의식이 더 낮은 차원으로 확장될 수 있는 발판 역할을 한다.

정신계의 일곱 가지 하위 구분은 자연스럽게 두 그룹으로 나뉘며, 세 가지 상위 등급의 물질과 네 가지 하위 등급의 물질로 이루어져 있다. 자아는 정신계 위의 두 차원의 물질에 고정되어 있으며, 정신계의 상위 수준으로 내려와서 자신을 입히는 물질의 옷을 인과체(causal body)라고 부른다. 자아는 에너지를 하위 정신세계로 보내면서, 점차 정신체(mental body)로 자리 잡는다. 같은 과정이 감정계에서도 반복되어, 감정체가 형성된다. 물리적인 신체는 형성되는 탈것 중 가장 낮고 마지막이며, 출생 전 몇 달 동안 서서히 형성되며, 그 구성 요소는 우연이 개입될 여지가 없는 비밀스러운 법칙들에 의해 자리를 잡는다.

이 각 신체는 자신이 속한 차원에서 의식의 매개체 역할을 한다. 영혼은 육체, 감정, 정신계에서 동시에 진화하며, 이 다양한 신체들은 각 차원의 진동을 받아들이고 그 차원에서 의식을 가질 수 있게 한다. 정신체는 지적 활동의 중심이다. 생각은 정신체에서 진동으로 발생하여 감정체를 거쳐 물리적인 뇌로 전달된다. 생각할 때마다 우리는 정신체를 사용하고 있는 것이다. 감정체는 감정의 중심이다. 우리는 감정체를 통해 감정을 느낀다. 모든 감정은 감정체에서 물리적인 몸으로 전달되어 물질세계에서 표현된다. 아스트랄계는 또한 감정계라고도 불리며, 멘탈계는 정신계라고도 불린다. 물리적 신체는 영혼의 행동 도구이다. 물리적 신체는 영혼을 물질세계에 연결하고, 의식이 물질적 객체에 접촉하고, 정신체와 감정체에서 생성된 생각과 감정을 물질 차원에서 표현할 수 있게 한다.

의식의 또 다른 기제는 '에테르체(etheric double)'로 알려져 있다. 하지만 이는 영혼이 기능하는 본격적인 신체가 아니라, 연결고리일 뿐이다. 에테르체는 물질세계의 에테르 물질로 구성되어 있으며, 아스트랄체와 물리적 신체를 연결한다. 물질의 모든 원자가 에테르 물질로 둘러싸이고 침투되어 있으므로, 물리적 신체는 에테르 물질로 이루어진 복제본을 갖고 있다. '에테르체'라는 이름은 매우 적합한데, 이는 에테르 물질로 이루어진 물리적 신체의 완벽한 복제본이기 때문이다. 에테르체는 신경계에 생명력을 공급하고 감각을 전달하는 매개체 역할을 한다. 마취 작용이 에테르체의 물질을 상당 부분 몰아내면 연결이 끊어져 물리적 신체에서 감각이 사라진다.

인간의 구성에 대한 명확한 개념을 형성하고, 다양한 의식의 매개체를 통해 기능하는 영혼임을 깨닫는 데 있어 어려움 중 하나는 서구 문명에 일반적인 물질주의적 사고방식이다. 우리는 물리적 신체 자체를 인간으로 생각하는 데 익숙하며, 육체의 죽음 이후 의식이 생존한다는 생각이 있더라도 그것이 어디에 존재하고 어떻게 표현되는지에 대해 매우 모호하고 불명확하다. 육체가 인간이라는 믿음이 얼마나 터무니없는지 보여주는 데는 많은 생각이 필요하지 않다. 쌍둥이처럼 두 신체가 같을 수 있지만, 진정한 인간인 영혼은 전혀 다를 수 있다. 진정한 인간은 초물질적 존재이다. 그의 지능이나 어리석음, 친절한 성격이나 우울한 성향, 관대함이나 이기심은 모두 신체를 통해 표현되는 그의 본질이다. 신체 자체는 단지 물리적 원자의 집합체로, 목적을 위해 조직된 도구에 불과하다. 신체를 구성하는 물질의 양은 가변적이다. 그것은 크게 증가하거나 감소할 수 있지만, 인간 자체는 변하지 않는다. 인간과 그가 의식의 매개체로 사용하는 물리적 물질 사이에는 영속적인 관계가 없다. 생리학자들에 따르면, 신체의 모든 원자는 몇 년 내에 변한다. 세포는 닳고 분해되어 새로운 물질로 대체된다. 7년 전 우리 몸에 있던 물질은 지금은 없고, 현재 있는 물질도 남아 있지 않을 것이다. 7년 이내에 우리는 아기의 몸이 새로운 물질로 구성된 것처럼 새로운 물질로 이루어진 몸을 가질 것이다.

물론 이러한 신체의 재구성은 외관을 변화시키지 않는다. 신체는 동일한 구조로 지어진다. 아주 오래된 성당을 생각해 보면 이해할 수 있다. 세월이 지나면서 성당은 천천히 재건축되어야 한다. 바닥은 닳아 새로 깔리고, 지붕은 수명을 다해 교체되며, 벽은 한 곳씩 무너져 완전히 재건축된다. 천 년이 지나면 건물에 원래 있던 자재가 하나도 없을 수 있지만, 외관은 변하지 않는다.

우리가 지금 가지고 있는 신체도 언젠가는 사라질 것이다. 그 신체의 구성 물질은 나무로 자라나고 꽃으로 피어날 것이다. 우리가 미래에 가질 신체는 지금 세계 곳곳에 흩어져 있다. 그 신체의 구성 물질은 시간이 지나면서 모여와 우리의 새로운 신체를 이루게 될 것이다.

육체적 감각은 끊임없이 우리를 속인다. 특히 우리가 가지고 있는 물리적 신체에 대한 개념에서 그렇다. 신체는 불안정한 물질의 덩어리로, 끊임없이 움직이며, 그 원자들 사이에는 큰 공간이 존재한다. 에머슨은 자신의 시대를 훨씬 앞서갔으며, 과학이 그의 통찰을 따라잡는 데에는 반세기가 걸렸다. 그가 "원자와 원자 사이는 지구와 달, 별과 별 사이만큼 멀다"라고 쓴 것은 자연의 사실을 기록한 것이었다.

1908년 《Scientific American Supplement》은 우리의 물질에 대한 재구성된 개념에 대해 논평하며, 실제 물리적 신체의 질량이 겉보기 질량의 약 100만분의 1 정도라고 밝혔다.

물리적 신체가 단지 조직된 물질 덩어리에 불과하며, 끊임없이 변화하고, 계속해서 생겨나고 사라지며, 이를 통해 작동하는 의식과 영구적인 관계가 없다면, 그것이 인간이라고 믿을 이유가 있을까? 의식의 중심이 더 높은 차원에서 물질을 끌어모아, 최종적으로 우리가 신체라고 부르는 물질 덩어리를 통해 자신을 표현할 수 있다는 것이 이상하게 보일까? 만약 그것이 신비롭다면, 우리 주변에서 일어나고 있는 수많은 기적 같은 일들은 우리가 알아차리지 못한 채 끊임없이 일어나고 있다. 소로우는 우리가 주변의 놀라운 생명 표현에 너무 익숙해져서, 일어나는 현상들을 무심하게 지나친다고 지적한다. 자연이 가능하게 하는 마법에 대해 그는 이렇게 말다:

"내가 씨앗이 없는 곳에서 식물이 자랄 것이라고는 믿지 않지만, 나는 씨앗에 대한 큰 믿음을 가지고 있다. 그 기원 또한 나에게는 동등히 신비롭다. 당신이 그곳에 씨앗이 있다고 확신시켜준다면, 나는 기적을 기대할 준비가 되어 있다.... 1857년 봄, 나는 특허청에서 보내온 6개의 씨앗을 심었는데, 그것은 '포트린 자운 그로스(Poitrine jaune grosse)'라고 표기되어 있었다. 그중 2개가 자라났고, 그중 하나는 123.5파운드의 호박을, 다른 하나는 4개의 호박을 생산했는데 그 무게가 186.25파운드였다. 누가 이 작은 정원 한 구석에서 310파운드의 포트린 자운 그로스가 자랄 것이라고 믿었겠는가? 이 씨앗들은 내가 그것을 잡아내기 위해 사용한 미끼였고, 그 굴속으로 보낸 족제비였으며, 그것을 파내기 위해 보낸 테리어 한 쌍이었다.... 나는 다른 씨앗들도 가지고 있어, 그

정원 한 구석에서 다른 것들을 찾아낼 것이다. 나는 완벽한 연금술사들을 키우고 있으며, 그들은 끝없이 물질을 변환시킬 수 있다. 그래서 내 정원 한 구석은 바닥이 없는 보물창고이다. 여기서 당신은 금을 파내는 것이 아니라, 금이 단지 대표하는 가치를 파내는 것이다. 그리고 그 안에는 어떤 마술사도 없다. 그런데도 농부의 아들들은 마술사가 목에서 리본을 꺼내는 것을 보느라 시간을 허비한다. 그들은 그것이 모두 속임수라는 것을 알고 있다. 분명 사람들은 빛보다 어둠을 더 사랑하는 것 같다."

씨앗은 인간보다 훨씬 낮은 수준의 생명이 흐르고 그 중심을 둘러싼 물질 덩어리를 모으는 힘의 중심이다. 인간 수준에서는 의식이 자의식으로 발전하며, 이를 표현하고 더 높은 수준으로 진화하는 데 필요한 놀랍도록 복잡한 메커니즘이 요구된다.

이 의식의 복잡한 메커니즘은 자아가 다양한 수준에서 자신을 표현하는 여러 신체로 구성되며, 물리적 차원에서 기능하기 위해 전체적으로 사용된다. 그러나 자아가 물리적 차원보다 높은 아스트랄 차원에서만 기능할 때는 물리적 몸이 일시적으로 버려진다. 이는 수면 또는 최면 상태로 알려진 상태이다. 수면은 의식이 육체에서 자연스럽게 철수하는 과정이다. 매체의 경우에는 이러한 분리가 일어날 때 최면 상태라고 한다. 물리적 몸이 무기력한 상태가 되는 원인은 두 경우 모두 동일하다—즉, 자아의 의식이 철수하는 것이다. 물리적 몸은 그 시점에서 비어 있지만, 의식은 여전히 자기와 자력으로 연결되어 있다. 죽음에서는 이 연결이 끊어지고, 의식은 더 이상 몸으로 돌아갈 수 없다. 겉보기에는 죽은 듯 보이지만 실제로는 자력 연결이 끊어지지 않아 다시 살아나는 경우도 있다.

육체와 아스트랄체는 형태와 특징이 정확히 일치한다. 수면이나 죽음으로 두 신체가 분리되면, 우리는 아스트랄체를 통해 아스트랄계에서 기능할 수 있다. 수면 중에는 의식이 아스트랄체에 표현되어 꿈결처럼 내면을 향하거나 아스트랄계의 삶과 활동을 생생하게 인식할 수 있다. 하지만 깨어났을 때 그 기억이 육체의 의식으로 잘 전달되지 않는다. 물론 가끔은 매우 생생한 꿈으로 기억되기도 한다. 아프거나 기타 비정상적인 상태에서는 육체 의식과 아스트랄 의식 사이의 연결이 훨씬 더 밀접해진다. 진화의 비교적 높은 단계에서 두 의식 상태가 합쳐진다. 그러면 사람은 지속적으로 의식을 유지하며, 육체가 잠든 동안 아스트랄 세계에서의 모든 활동을 완전히 기억할 수 있게 된다.

의식은 물질적 수단의 한계 속에서 표현되므로 최선을 다하기 어려운 것이 사실이다. 지적이든 어리석든, 수면이나 죽음 이후에는 물리적 제한을 벗어나 아스트랄 차원에서 훨씬 더 능숙하고 예민해질 것이다. 그러나 이러한 제한의 정도는 가변적이며 뇌와 신체를 구성하는 물질의 종류에 따라 크게 달라진다. 물리적 원자가 매우 다양하기 때문에, 시간이 지남에 따라 신체가 정화되고 정제되거나 더 거칠어질 수 있다.

따라서 음식과 음료에 주의를 기울이고 감정을 조절함으로써, 육체적 물질의 한계를 줄일 수 있다. 그렇게 하면 육체의 의식 상태가 훨씬 더 높고 효율적인 수준에 도달할 수 있다.

CHAPTER VII. 죽음

아마도 죽음이 두려움과 흔히 연관되는 이유 중 하나는 우리가 그것에 대해 거의 생각하지 않기 때문일 것이다. 대부분의 사람들은 죽음이 가정을 침범하여 가족 구성원을 위협할 때까지는 이 주제에 대해 전혀 생각하지 않는 것 같다. 그런 다음에야 공포가 마음을 가득 채우고 이성적인 사고를 거의 마비시키게 된다.

서양문명에서 널리 퍼진 이러한 죽음에 대한 두려움은 우리 시대의 물질주의에 대한 생생한 증거다. 죽음에 대한 두려움은 미래에 대한 의심에서 비롯된다. 불멸에 대한 과학적 근거가 있을 때만이 죽음에 대한 끔찍한 두려움이 사라질 것이다. 죽음이 두려운 것은 그것이 소멸처럼 보이기 때문이다. 만약 사람들이 신체적 삶을 넘어선 천국의 존재를 진정으로 믿는다면, 그것을 맞이하는 전망에 대해 공포를 느낄 수 없을 것이다. 만약 한 사람의 종교가 그에게 미래 삶에 대한 진정한 확신을 주지 못하고, 이 삶만큼이나 현실적인 것으로 만들지 못했다면, 그 종교는 우리가 종교에 대해 요구할 권리가 있는 것을 충족시키지 못한 것이다. 만약 종교가 그가 죽은 자의 얼굴을 의심이나 두려움 없이 바라볼 수 있게 하지 못한다면, 그 종교나 그의 이해에 무언가 문제가 있는 것이다. 죽음을 두려워할 이유가 무엇이 있을까? 모든 사람에게 보편적으로 다가오는 것이 해로울 수는 없다. 죽음을 재앙으로 여긴다면, 그것은 자연의 정당성에 대한 고소장이 될 것이다.

죽음은 단순히 특정한 경험 주기의 끝에 불과하다. 이는 신체라는 활동의 도구이자 물리적 차원에서의 의식의 운반체로서의 역할만을 끝내는 것이다. 인간의 형태로 일시적으로 모인 신체의 원자들은, 죽음에 이르면 살아있는 유기체의 결합력을 벗어나 원래의 상태로 돌아간다.

실제로 죽음이라는 것은 존재하지 않는다. 단지 엄밀히 형태에만 국한해서 말할 때 죽음이라고 할 수 있다. 의식에 있어서는 죽음이란 존재하지 않는다. 물리적 형태 안의 삶과 그 밖의 삶이 있을 뿐, 개별 지성의 죽음이나 소멸은 없다. 우리가 '죽음'이라고 부르는 것은 삶의 질서 있는 진화 과정에서의 변화일 뿐이며, 물리적 차원에서만 그러한 용어가 적용될 수 있다. 이 차원에서 보자면 죽음, 즉 떠남이지만, 아스트랄 세계에서는 그것이 탄생, 즉 도착이다. 우리가 탄생이라고 부르는 것은 물리적 차원에서 물질적인 신체를 통한 영혼의 표현의 시작이다. 이는 곧 도착이다. 그러나 아스트랄 시점에서 보자면 이는 떠남이며, 물리적 신체에서의 떠남이 이곳에서의 죽음인 것처럼, 논리적으로는 아스트랄 세계에서의 죽음이기도 하다. 따라서 한 차원에서의 죽음과 떠남은 단순히 다른 차원에서의 탄생 또는 도착일 뿐이다. 물론 우리가 아는 탄생과 같은 방식은 아니다.

자연의 모든 과정은 진화에서 중요한 역할을 하며, 따라서 죽음은 삶만큼이나 필요하고 출생만큼이나 유익하다. 죽음은 쓸모없는 것을 파괴한다. 각 인간이 죽어야 할 때가 있다는 것은, 즉 신체가 그 사명을 다하고 존재의 목적을 완전히 달성한 시점이 있다는 것을 의미한다. 그 시점을 넘어서 물리적 신체에서의 삶을 계속하는 것은 진화의 여정에서 에너지를 낭비하고 시간을 잃는 것이다. 우리가 '질병'이라고 부르는 작용에 따라 신체는 비효율적으로 되거나, 노화로 인해 감각이 흐려지고 불확실해진다. 의식은 손상된 신체를 통해 더 이상 날카롭게 표현될 수 없으며, 자아가 그것을 떠나는 것이 분명히 유리하다. 영혼은 부서지고 녹슨 도구로 일해야 하는 장인의 위치에 있다. 더 이상 좋은 결과를 기대할 수 없다. 이때 죽음은 고마운 파괴자로서, 낡은 도구를 파괴하고 의식을 고통스러운 상황에서 해방시키며, 방해 없는 활동의 영역으로 탈출할 수 있게 해준다.

죽음은 고통스럽지 않다. 질병으로 인한 육체의 붕괴는 고통을 야기할 수 있지만, 그것은 육체적 삶에 속한 것이지 죽음 자체에 속하는 것은 아니다. 죽음에 대한 근거 없는 두려움으로 인한 고민도 있을 수 있다. 하지만 자신의 죽음을 알지 못하는 사람은 공포도, 고통도 없이 조용히 잠들어 간다. 관찰해보면 죽음의 순간에 겪는 고통은 항상 남겨진 이들에게서 비롯되는 것이지, 죽어가는 이에게서 비롯되는 것이 아님을 알 수 있다. 육체의 감각에 갇혀 있는 이들은 소위 '죽은' 이와 분리되어 있지만, 그는 그들과 분리되어 있지 않다. 바로 이 분리로 인해 죽음에 대한 공포가 생겨나는 것이다.

그러나 이 사실에서 죽음의 큰 진화적 가치를 발견할 수 있다. 죽음이 야기하는 분리는 다른 어떤 것보다도 사랑을 강화한다. 친구가 떠나간 후에야 비로소 그의 진정한 가치와 우리 삶에서의 큰 역할을 깨닫게 된다. 갑작스러운 침묵이 소리의 존재를 더욱 뚜렷하게 인식하게 하듯이, 죽음의 대조는 삶에 생생하고 현실적인 느낌을 준다. 우리는 친구의 죽음이 마음의 자질을 얼마나 빠르게 일깨우는지 잘 알고 있다. 우리의 본성은 어느 정도 정화되고 영적으로 승화된다. 이기심은 줄어들고 연민은 확장된다. 타인의 고통에 대한 공감이 생겨나며, 이를 통해 분명한 진화적 발전이 이루어진다. 죽음 없이도 분리만으로도 이와 유사한 효과가 나타난다는 사실을 생각해 보면, 죽음의 진화적 가치를 알 수 있다. 지속적인 교류 속에서 우리는 무심해지고 무관심해진다. 하지만 몇 달의 부재 후에는 개인적 관계에 대한 더 정확한 관점을 얻게 되고, 삶은 새로운 활력을 얻는다. 아이가 어머니를 어느 정도 소중히 여기지만, 잠시 떨어져 있으면 그 소중함이 크게 늘어난다. 모든 인간은 분리 기간 후 더 가까워지고 공감대가 커진다. 죽음으로 인한 완전한 분리는 우리 본성의 영적 측면 발전에 특히 효과적이다. 때로는 죽음이 필요해 물질적 삶에서 주의를 돌리게 한다. 가족이 물질적 성공에 완전히 빠져 있다가 갑자기 죽음이 찾아오면, 그들이 그토록 열심히 추구했던 모든 것이 일시적이라는 사실을 깨닫게 되고, 삶의 고귀한 면모에 주목하게 된다. 큰 전쟁이 일어나면 그 뒤로 광범위한 영적 각성이 일어나는 것도 잘 알려진 사실인데, 이는 죽음의 그림자가 수많은 가정에 드리워졌기 때문일 것이다.

회의적인 비평가들은 때때로 친구의 죽음으로 인한 슬픔이 그들의 지속적인 존재에 대한 직접적인 지식으로 완화될 수 있다면 자연의 계획이 더 나아지지 않을까 묻곤 한다. 현재 우리의 진화 단계에서는 육체적 삶과 영적 삶이 분리되어 있는 것이 자연의 계획인 것 같다. 이미 논의된 이유들이 있으며, 우리가 이해할 수 없는 이유도 분명 존재할 것이다. 또한 쉽게 이해할 수 있는 이유도 있다. 만약 영적 세계의 더 높은 차원의 기쁨이 우리의 의식에 열려 있다면, 이 삶의 의무에 집중하기가 어렵거나 불가능할 것이다. 우리의 육체적 삶은 마치 학교에서 지식을 습득하고 지성을 발전시키는 어린이의 과제와 비교할 수 있다. 이들은 다른 삶의 단계로부터 완전히 격리될 때 가장 잘 학습할 수 있다. 만약 그들의 일상적인 의식에 서커스, 군사 퍼레이드, 소풍, 춤 파티와 같은 아이들의 기쁨을 도입한다면 학교가 존재하는 목적은 무의미해질 것이다. 의식이 그러한 것들로부터 철회되는 정도만큼 학교에서의 학습이 잘 이루어질 것이다. 우리의 육체적 감각의 제한도 이와 같은 목적을 가지고 있다.

하지만 인간의 진화에는 감각의 제한이 더 이상 도움이 되지 않고 극복될 수 있는 지점이 있다. 일부 사람들은 이미 이 지점에 도달했다. 이들은 이전에 언급된 바 있는 심령 과학자들로, 척수 시스템의 고차원적인 투시력을 개발한 사람들이다. 이는 누구나 열망할 수 있는 성취다. 누구도 죽음이 흔히 초래하는 분리에 굴복할 필요는 없다. 자연의 진화 방법에 협력하고, 자신이 할 수 있는 가장 높은 수준의 유익한 삶을 진지하고 지속적으로 노력함으로써, 시간이 지나면 죽은 자들이 여전히 살아있다는 개인적인 지식을 얻는 의식 수준에 도달할 수 있다. 그러나 그러한 수준에 도달하는 과정에서, 육체적 감각의 제한에 의해 이전에 강요된 집중력이 획득될 것이다.

죽음에 대한 일반적인 착각 중 하나는 사람이 죽으면 성격에 급격한 변화가 일어난다는 것이다. 이는 중세 시대부터 전해 내려온 신학적인 사상에 부분적으로 기인한 것이다. 죽으면 어떤 종류의 심판을 받아 성인으로서 영원한 행복을 누리거나 악마로서 끝없는 고통을 받을 자격이 있다고 여겨진다. 이 믿음은 과거 세대의 멜로드라마에 공통적으로 나타난 인간 본성에 대한 잘못된 견해에 기초하고 있으며, 아마 값싼 소설 속에서 영원히 살아남을 것이다. 그곳에서는 영웅이 절대적으로 선하고 악당이 절대적으로 악한 것으로 묘사된다. 영웅은 흠이 없고 악당은 구제할 만한 특징이 없다. 그러나 인간 본성은 그렇게 나타나지 않는다. 신성한 생명의 불꽃은 모두에게 있으며, 때로는 어둡게 숨겨져 있기도 한다. 반면, 완벽한 존재는 찾아볼 수 없다. 완벽한 영웅은 단지 불완전한 상상력의 산물이다. 우리의 진화 단계에서는 절대적으로 선한 사람도, 절망적으로 악한 사람도 찾아볼 수 없다.

왜 죽음이라는 변화가 인간을 변형시켜야 할까? 그것은 단지 의식의 한 부분을 잃는 것에 불과하다. 생각하는 사람인 영혼은 육체가 더 이상 존재하지 않기 때문에 물리적 세계와의 연결을 잃은 것이다. 정신체와 아스트랄체는 여전히 남아 있어 생각하고 느낄 수 있게 해준다. 그러나 그는 자신이 아는 것보다 더 많이 생각할 수 없으며, 자신이 발전하지 않은 것을 느낄 수 없다. 죽음에서 일어난 모든 일은 물질세계와의 접촉이 끊어졌다는 것이다.

죽음이 큰 지혜를 가져다준다는 오해도 있다. 우리는 종종 유용한 조언을 얻기 위해 죽은 자들과 교신하려는 이들의 이야기를 듣는다. 죽음이 더 넓은 의식의 영역으로 인도하고, 영적 세계에서는 조금 더 앞을 내다보고 더 많은 것을 고려할 수 있는 것은 사실이다. 하지만, 중요한 점은, 그는 이 세상에 있을 때보다 더 나은 판단력을 가지지 못한다는 것이다.

그는 정신적으로나 감정적으로 변하지 않았다. 그의 도덕성은 더 나아지지도, 더 나빠지지도 않았다. 그의 관용이나 편협함도 여전히 그대로이다. 만약 그가 이곳에서 편견이 있었다면, 저승에서도 여전히 편견이 있을 것이다. 이곳에서 진화하지 못한 무지한 사람이었다면, 저승에서도 동일하게 그런 상태로 남아 있을 것이다. 천재든 바보든, 성인이든 악당이든, 그는 변하지 않으며 감정이 결정적인 요소인 세계에서 계속해서 진화의 길을 걷는다.

죽음은 단지 영혼의 진화가 계속되는 새로운 더 넓은 영역으로의 문을 열어줄 뿐이다. 죽음을 공포의 왕으로 만드는 망상과, 죽음이 모든 것을 끝내지 않는다면 적어도 영혼을 심판하여 모든 개인적 책임을 끝내고 운명을 영원히 결정짓는다는 안일한 믿음 중 어느 것이 더 큰 불행인지 말하기 어렵다. 죽음은 잠이 성격을 바꾸거나 운명을 결정할 수 없는 것처럼, 책임을 덜어주거나 도덕적 본성을 변화시킬 수 없다.

신지학적 죽음의 개념은 위안이 되는 동시에 과학적이다. 죽음에 대한 두려움 대신 지속되는 삶에 대한 지식을 제공한다. 의심과 절망 대신 자신감과 기쁨을 주며, 우리가 알고 사랑했던 사람들과 다시 만날 수 있다는 보장을 준다. 우리가 잃어버렸다고 잘못 생각했던 그들과의 재회를 보장해주는 것이다.

CHAPTER VIII. 아스트랄계

육체가 죽을 때, 여기서 의식을 잃는 것과 아스트랄 의식이 깨어나는 것 사이에는 간격이 있다. 이 중간 기간 동안, 인생의 장면들이 다시 한번 되돌아보게 된다. 태어남과 죽음 사이의 모든 것이 의식 속에서 다시 한번 지나가며, 이는 두 세계의 삶의 활동 사이에서 에테르체에 멈춰 서게 된다. 그런 다음 평온한 무의식 상태가 뒤따르고, 그 상태에서 사람이 아스트랄 세계에서 깨어난다.

죽은 사람이 먼 천국으로 가서 천사가 된다고 생각하는 사람들에게는, 죽은 사람이 처음에는 우리가 죽음이라고 부르는 변화가 일어났음을 인식하지 못한다는 말이 놀랍게 들릴 수도 있다. 그러나 이것은 흔한 경험이다. 많은 사람에게 이것이 전혀 놀라운 일이 아닌 것도 당연하다. 모든 물질이 아스트랄 물질로 둘러싸여 있고 침투되어 있다는 사실을 상기하면, 물질적 차원이 아스트랄 물질로 복제되어 있다는 것을 알 수 있다. 인간의 육체뿐만 아니라 모든 물질적 객체도 아스트랄 복제체를 가지고 있다. 죽어가는 사람은 물질적 차원의 의식을 잃고, 마치

잠에서 깨어나는 것처럼 아스트랄 의식으로 깨어난다. 그는 자신이 남겨 둔 익숙한 장면들의 정확한 복제품을 아스트랄 물질로 보게 된다. 또한 그는 자신의 친구들도 보게 되는데, 그들의 아스트랄 몸이 그들의 물리적 형태와 동일하기 때문이다.

그럼에도 불구하고, 이 모든 것에도 불구하고, 어떤 차이는 존재한다. 그러나 이는 그가 무슨 일이 일어났는지를 이해할 수 있게 해주는 차이는 아니다. 그는 어제, 혹은 그가 느끼기에 어제였던 날, 자신이 병들어 침대에 누워 있었고 곧 죽을 것이라는 말을 들었을 수도 있다. 그러나 이제 그는 아프지 않다. 사실, 그는 평생 느껴본 적 없는 자유로움과 활력을 느낀다. 이것이 그를 혼란스럽게 만든다. 그는 친구들을 보고 자연스럽게 그들과 대화를 시도하지만, 아무런 대답을 듣지 못하고 그들의 주의를 끌 수 없다는 것을 알게 된다. 그는 그들의 육체를 볼 수 없으며, 그들 역시 그의 아스트랄체를 볼 수 없다는 것을 기억해야 한다. 그러나 그는 분명히 그들을 본다. 만약 소위 죽은 사람과 살아있는 사람이 같은 순간에 다른 살아있는 사람을 본다면, 두 사람 모두 그를 볼 것이다. 그러나 후자는 육체를 보지만 전자는 그것을 둘러싸고 침투하는 아스트랄체를 본다.

이러한 상황에서는 아스트랄계에 새로 도착한 이가 당황스러운 신비감에 사로잡히는 것도 자연스러운 일이다. 그는 자신의 이성적 능력과 의지력을 완전히 가지고 있지만, 기대한 결과를 만들어내는 데에는 당혹스러운 제약이 있다. 이는 마치 갑자기 실어증에 걸린 사람이 아침에 일어나 평소처럼 일상을 보내다가 신문을 읽으려 할 때, 그 익숙한 글자가 아무 의미도 없는 것을 발견하는 것과 유사하다.

물론, 시간이 지나면 죽은 후에도 살아 있는 사람은 새로운 삶에 적응하게 된다. 그는 곧 아스트랄 세계에 더 오래 머물렀던 다른 사람들을 만나게 되고, 그들은 결국 그가 단순히 생생한 꿈을 꾸고 있는 것이 아님을 설득하게 된다.

앞서 설명한 바와 같이 아스트랄계는 일곱 가지 하위 구역으로 나뉘며, 아스트랄체는 각 구역의 물질을 포함하고 있다. 우리가 물리적 몸을 가지고 있을 때는 아스트랄체의 물질이 빠르게 순환하며, 모든 등급의 물질이 끊임없이 표면에 나타난다. 그러나 물질적 차원과의 연결이 끊어지면 아스트랄체의 물질이 자동으로 재배열되며(의지력의 행사로 방지하지 않는 한), 그 후로는 가장 거친 등급의 물질이 표면을 차지하게 된다. 따라서 사람의 의식은 사망 시 그의 아스트랄체에 포함되어 있는 가장 낮은 등급의 물질이 대표하는 아스트랄계의 하위 구역에 제한된다. 이는 그의 사후 의식 상태, 기쁨 또는 슬픔, 즉 일시적인 천국이나 지옥이 그의 아스트랄계에서의 위치에·따라 결정되기 때문에 매우 중요한 사실이다.

죽음에는 세 가지, 그리고 오직 세 가지 방식만이 있다: 노쇠, 질병,

또는 폭력에 의한 것이다. 노쇠는 물리적 차원 경험의 자연스럽고 바람직한 종결이다. 장수하여 많은 경험을 쌓는 것이 가장 좋다. 오래 살고 활동적으로 사는 것은 큰 행운이다. 강한 육체적 욕망을 가지고 아스트랄계로 넘어가는 것은 좋지 않다. 노쇠가 오면 욕망의 힘이 서서히 약해진다. 그 욕망을 표현할 수 있는 등급의 아스트랄 물질은 서서히 사라진다. 노쇠는 물질적 차원에서 생명력을 가장 점진적으로 풀어주는 것을 나타내며, 이는 많은 이점이 있다.

질병으로 인해 육체에서 해방되는 것은 바람직한 순서에서 두 번째로 꼽힌다. 이는 물리적 세계와의 연결을 더 빠르고 덜 완전하게 끊어내는 방법이다. 그럼에도 불구하고, 병으로 인해 육체적 욕망에서 벗어나는 데 많은 진전을 이룰 수 있다. 병자와 함께 시간을 보낸 사람들은 이를 잘 알고 있다. 욕망은 병이 진행됨에 따라 점차 약해지며, 결국 죽음으로 끝난다.

폭력에 의한 육체적 해방은 세 가지 중 가장 바람직하지 않다. 이는 단순히 폭력 때문만은 아니다. 갑작스러운 죽음은 일반적으로 당사자의 아스트랄체에 많은 양의 하급 물질을 남겨둔다. 사고, 살인, 자살 또는 법적 처형으로 인한 폭력적 죽음은 모두 아스트랄계에서의 의식 상태를 불행하게 만든다. 이는 죽음의 방식보다는 갑작스러운 죽음 자체가 문제다. 갑작스러운 죽음은 아스트랄 체에서 하급 물질이 제거되기 전에 아스트랄 세계에 들어가게 만든다. 이것이 자살이 불행한 이유 중 하나이다. 자살은 사람이 정상적인 육체적 생명을 다 살지 못하고 더 많은 하급 물질을 가진 상태로 아스트랄 세계에 진입하게 만들기 때문이다.

연옥은 종종 아스트랄계의 최하위 단계를 가리키는 말로 사용된다. 이 단어는 적절하게 선택된 용어다. 왜냐하면 그곳에서 도덕적 본성이 불순물로부터 정화되기 때문이다. 육체적 삶에서 강하게 키우고 탐닉한 욕망들은 오직 그것들이 표현될 수 있는 거친 아스트랄 물질을 통해 제거된다. 그렇게 정화된 사람은 다음 단계로 넘어가 더 높은 의식 상태로 진입할 수 있다.

아스트랄 삶에서 일부 사람들은 하위 단계에 오랜 시간 머무는 반면, 다른 사람들은 전혀 그 단계를 거치지 않고 더 높은 단계의 행복한 의식 상태로 깨어난다. 자연은 어디서나 일관되게 유사한 사람들을 그룹으로 묶는다. 그러나 육체적 삶을 어떻게 살아가는지가 죽음 이후의 행복이나 슬픔을 결정합한다. 아스트랄체는 감정의 자리이며, 물질적 몸과 마찬가지로 그것을 구성하는 물질이 끊임없이 변화한다. 어떤 종류의 감정이든 아스트랄체의 물질에 진동을 일으키며 표현된다. 만약 그것이 분노, 증오, 욕망, 잔인함 같은 저급한 감정이라면, 이는 아스트랄체의 가장 거친 물질을 진동시킨다. 반면 사랑, 동정, 헌신, 용기, 자비와 같은 고귀한 감정은 오직 더 희박한 아스트랄 물질에만 영향을 미치며, 이런 물질에서만 그런 감정이 표현될 수 있다.

대부분의 사람들은 다양한 감정들이 끊임없이 뒤섞이며, 한쪽에서 이익을 얻으면 다른 쪽에서 손해를 보는 경향이 있다. 그러나 감정의 원인과 결과의 법칙을 잘 이해하는 사람은 죽음 후의 아스트랄계에서 편안한 체류를 확실히 보장받을 수 있다. 그는 자신의 감정을 주의 깊게 관찰하고 통제하는 것을 원칙으로 삼을 것이다. 왜냐하면 매번 저급한 감정에 빠질 때마다 그의 아스트랄체에서 일어나는 진동이 저급한 물질을 강화하고 활기차게 만들기 때문이다. 반면에 순수하고 고상한 감정은 고차원의 물질을 강화한다. 궁극적으로 저급한 물질은 활동 부족으로 인해 위축되고, 그로부터 떨어져 나가게 된다.

심령 과학자들이 묘사하는 연옥의 모습은 심지어 무모한 사람들조차도 피하고 싶어할 정도로 끔찍하다. 만약 우리가 현재 물질계에 존재하는 가장 사악한 남녀, 가장 잔인한 살인자, 술에 찌든 주정뱅이, 가장 타락한 퇴폐자, 양심 없는 복수심에 불타는 악당들을 모두 모아, 오물로 가득 찬 오두막에 몰아넣고, 외부의 통제 없이 서로를 먹이로 삼도록 내버려 둔다면, 우리는 아스트랄 세계의 최하위 부분의 현실을 어렴풋이 이해할 수 있을 것이다. 그러나 물질계의 어떤 비교도 그것을 완전히 설명할 수는 없다. 왜냐하면 그곳은 감정의 세계이며, 그곳 주민들의 감정이 그곳의 분위기를 형성하기 때문이다. 아스트랄 물질은 감정을 즉각적으로 그리고 정확하게 재현하므로, 악마나 감각주의자는 자신의 감정을 그대로 반영한 모습으로 나타난다. 반응이 없는 물질계에서도, 사람의 악은 종종 보는 이들로 하여금 공포에 떨게 할 정도로 충분히 표현된다. 아스트랄 세계에서는 모든 잔인한 생각과 끔찍한 감정이 눈에 보이는 형태로 드러나며, 아스트랄계의 하위 단계에서 솟아오르는 수많은 감정들은 혐오스러운 파충류 떼처럼 끔찍한 삶을 미끄러지듯 살아간다. 여기에 그곳 주민들의 절망적인 낙담이 극도의 어둠과 황량함을 더해주어, 다른 고문 없이도 잘못된 영혼의 길을 막는 지옥이 완성된다. 그러나 그 고통은 모두 자초한 것이다. 사람이 자신의 악함에 싫증이 나서 자신의 도덕적 죄악에 대해 영혼의 고통 속에서 외칠 때까지, 같은 부류의 사람들과 함께 지내며 자신을 타인에게서 바라보는 것이 일관되며 공정하다. 그러나 감정체에 하위 아스트랄 물질이 상당량 남아 있는 채로 죽는다고 해서 반드시 그러한 경험을 겪는 것은 아니다. 우리는 아주 복잡한 문제를 다루고 있으며, 가장 철저한 설명조차도 진실의 일부분만을 제시할 뿐이라는 점을 잊지 말아야 한다. 어떤 하위 단계의 의식 상태는 개인마다 다르다. 아스트랄 최하위 단계에 있는 일부 사람들은 주변 환경을 전혀 인식하지 못한다. 또 다른 변형으로는, 일부 사람들은 어둠 속에 떠다니며 다른 사람들과 거의 단절된 상태에 있다. 이는 충분히 바람직하지 않은 상태이지만, 일부 사람들의 운명보다는 나은 상태이다. 모든 아스트랄 의식 상태는 이전의 선행 또는 악행에 대한 반응이며, 시간이 지나면 떠나게 될 일시적인 상태이다.

다른 차원에서, 더 높은 수준에서 고통이 자연을 정화하는 작용을 할 수 있다. 모든 자연법칙을 어기는 행위가 그렇게 명백한 형태로 나타나는 것은 아니다. 욕망의 남용과 양심의 위반은 다양한 후회와 감정적 고통을 초래할 수 있다. 물리적 세계에서 강하게 형성된 정교한 욕망은 물리적 몸이 더 이상 그것을 충족시킬 수 없을 때에도 아스트랄 차원에서 강한 생명력을 유지한다. 대식가와 구두쇠는 매우 다른 유형의 강한 욕망을 가지고 있다. 이들 각각은 물리적 삶에서의 어리석음 때문에 아스트랄 삶에서 고통을 겪을 가능성이 크다. 대식가가 음식이 없는 세계에서 겪을 고통을 쉽게 상상할 수 있다. 아스트랄 몸은 물리적 몸처럼 섭취한 것으로 유지되지 않기 때문에 배고픔 자체로 인한 고통은 없겠지만, 미각의 만족을 갈망하는 것은 대식가에게 큰 고통을 줄 것이다. 술주정뱅이의 경우처럼, 이러한 욕망이 점차 충족 불가능함을 깨닫게 되기까지 큰 고통을 겪는다고 한다.

구두쇠는 더 미묘한 형태의 욕망을 대표하지만, 그의 금전 욕심은 대식가의 감각적 만족에 대한 욕망만큼이나 강렬할 수 있다. 돈을 모으는 것이 그의 삶에서 지배적인 생각이었다. 그는 돈에 대해 완전히 잘못된 가치를 부여해, 한 푼이라도 쓰는 것이 진정한 고통이 된다. 절박한 상황만이 그로 하여금 그의 재산 일부를 쓰게 만든다. 그가 모든 것을 뒤로하고 떠나야 하고, 다른 사람들이 자유롭게 돈을 쓰는 것을 보아야 할 때 그의 감정을 상상하기는 어렵지 않다.

물리적 몸과 관련된 어떤 종류의 욕망이든 아스트랄 세계에서는 충족 수단이 없으며, 그러한 욕망이 강하게 자라나 삶에서 중요한 부분을 차지하게 되면 물리적 몸을 잃은 후에도 분명히 어느 정도의 고통을 초래할 것이다. 이것이 미식가의 경우처럼 자연스러운 식욕의 과도한 정교화와 과잉에서 비롯되든, 흡연자처럼 자연적 요구와는 무관한 인위적인 것이든, 욕망을 충족시킬 수 없는 것은 똑같이 고통스럽다. 결과로 나타나는 고통은 물리적 세계에서 욕망이 좌절될 때와는 다르게 판단될 수 있다. 왜냐하면 아스트랄 삶에서 감정은 훨씬 더 강렬하게 표현되기 때문이다.

모든 종류의 고통은 물리적 세계에서의 생각, 감정, 행동의 자연스러운 결과다. 아스트랄 세계는 인간의 진화를 위한 메커니즘의 일부로, 잘못된 방향으로 가고 있을 때 그를 강하게 돌아서게 한다. 이는 처벌이 아니다. 그가 만들어낸 해로운 힘들이 단순히 그에게 반작용하고 있는 것이다. 이 반작용은 마치 뜨거운 숯을 집는 아기가 그 즉시 결과를 경험하는 것처럼 확실하지만, 보다 간접적이고 즉각적이지 않으며 다양한 방식으로 나타난다. 잘못된 행동의 불쾌한 결과가 자동으로 반복되는 것 또한 결함을 바로잡는 방법 중 하나다.

예를 들어, 계획적이고 잔인한 살인을 저지른 경우, 살인자는 보복이나 질투와 같은 비열한 동기에 의해 움직인다. 이러한 동기들은 희생자에게 끼친 끔찍한 결과에도 불구하고 살인자를 더 이상의 폭력 행위로부터 막지 못한다. 그는 성공에 만족하며 자신에게 만족감을 느낀다. 오직 발각과 처벌의 가능성만이 그를 괴롭힌다. 만약 그가 발각되고 처벌받는다면, 이는 그의 잘못된 인생관을 어느 정도 교정할 수 있다. 그러나 이것만으로는 그가 저지른 공포감을 충분히 인식하게 만들지 못한다.

이러한 사람은 자신의 행동에 대한 결과를 직접 겪어야만 그 관점이 변화할 수 있다. 물리적 세계에서 자신의 행위에 대한 결과를 피하더라도, 아스트랄 세계에서는 충분히 끔찍한 조건과 마주하게 된다. 그는 희생자와의 끈을 만들었으며, 정의의 저울이 균형을 이룰 때까지 이 끈은 끊어질 수 없다. 어떤 형태의 보복이 뒤따를지는 경우에 따라 다르지만, 그 반작용은 확실하며 다채롭다.

변형된 형태 중 하나는 희생자의 시체로부터 도망치려고 하지만 결코 벗어날 수 없는 끔찍한 경험이다. 체포되어 재판을 받고 처형된 살인자의 경우, 모든 비극과 그 후속 사건을 상상 속에서만이 아니라 실제로 아스트랄 세계의 유동적인 물질 속에서 자세히 반복하게 된다. 재판에서 인생이 걸린 상황에서 살인자가 느끼는 불안과 두려움, 정의의 추적을 피해 도망치는 동안의 고통, 사형대에 오르며 손이 묶이는 순간의 감정 등을 상상할 수 있는 사람은 많지 않을 것이다.

이 모든 것들은 아스트랄 삶에서 반복적으로 재현된다. 불안의 원인이 되는 주제에 완전히 사로잡혀 다른 생각을 할 수 없고 잠들지도 못하며 그 문제를 반복적으로 생각하게 되는 사람처럼, 살인자는 자신의 범죄의 감정적 그물에 얽매여 그것을 반복적으로 경험하고 행동하게 된다. 이는 그가 자신의 범죄의 공포를 완전히 이해하게 될 때까지 계속된다.

이 글에서는 자연의 응보 법칙이 어떻게 작용하는지에 대해 매우 단편적인 설명과 몇 가지 힌트만 제공하고 있다. 이 주제에 대해 글을 쓰는 저자는 독자들이 자연의 법칙을 어기는 특정 계층에게 엄중한 처벌이 가해진다는 사실을 지적할 때, 고통이 아스트랄계의 일반적인 운명이라는 인상을 받지 않도록 주의해야 한다.

사실은 깨끗하고 절제된 삶을 살며 타인에게 해로운 힘을 발생시키지 않는 사람들은 아스트랄계의 불행한 면모를 전혀 경험하지 않을 것이다. 물질적 세계의 제한, 괴로움, 육체적 통증과 질병, 빈곤, 슬픔, 고통 등이 우리가 경험할 수 있는 가장 지옥 같은 상태일 것이다. 평균적인 도덕성을 가진 일반인은 아스트랄계의 가장 낮은 수준에 해당하는 물질이 자신 안에 매우 적기 때문에, 대개 지상과 대응되는 다음 높은 영역에서 사후 존재를 시작할 것이다. 따라서 그들은 더 낮은 수준에 존재하는 지옥을 알지 못할 것이다.

그러나 분노, 질투, 증오, 복수 등의 감정을 과도하게 표출하며 폭력 범죄로 이어지는 사람들에게는 이와 다른 상황이 펼쳐질 수 있다. 육체적 삶을 건전하고, 유용하며, 조화롭고, 이타적으로 살아간다면 육체가 죽은 후 아스트랄계에서 기쁘고 유익한 삶을 시작할 수 있다. 하지만 안타깝게도 많은 사람이 자신의 모든 감정에 이기심을 담아 아스트랄계에서의 삶을 불쾌하게 만들고 있다. 감정이 아스트랄계의 삶을 결정하며, 그것이 지나치게 이기적이라면 매우 불쾌한 상태에 처하게 될 것이다.

우리가 상상할 수 있는 아스트랄계의 모습은 불완전하고 실제와 거리가 멀다. 그중에서도 가장 이해하기 쉬운 것은 물질적 세계의 풍경이 영적 물질로 재현된 부분이다. 평범한 사람들은 이 영역에서 아스트랄계의 삶을 시작한다.

우리가 알고 있는 이 세계에서 물질적인 부분을 제거해 본다면, 아스트랄계의 상황을 어느 정도 이해할 수 있다. 먹이, 옷, 거처를 마련할 필요가 없어지면 인류의 대부분의 노동이 사라질 것이다. 농사, 광업, 건설, 제조, 운송, 상품 교환 등이 인간 활동의 대부분을 차지하고 있기 때문이다.

아스트랄계에서는 음식이 필요 없고, 영적 물질로 옷을 만들 수 있다. 거처도 필요 없는데, 아스트랄체는 온도 변화에 영향을 받지 않기 때문이다. 또한 밤낮의 구분도 없고, 모든 것이 스스로 빛을 낸다.

만약 우리가 물리적 삶에서 모든 육체적 노동의 필요성, 열기나 추위에 대한 반응, 음식과 집의 필요성을 없애고, 무한한 부를 더하거나, 더 정확히 말해, 각 개인에게 부가 제공할 수 있는 모든 것과 그 이상의 것을 소유할 수 있는 능력을 준다면, 우리는 영적 세계의 한 측면을 어느 정도 이해할 수 있을 것이다. 아스트랄의 삶에 들어가는 각 개인은 육체적 마음으로는 즉시 이해할 수 없는 완전한 자유와 책임으로부터의 해방을 경험한다.

그에게는 반드시 해야 할 일이 전혀 없다. 그러나 활동을 원한다면 할 수 있는 일이 많다. 물리적 세계에서 많은 부유한 사람들은 여행을 하며 관광을 즐긴다. 수천 명의 다른 사람들도 가능하다면 그렇게 할 것이다. 아스트랄 세계에서는 그것이 가능하며, 많은 사람들이 특별한 계획 없이 이리저리 떠돌아다닌다. 다양한 종교 종파에 속한 다수는 스스로를 회중으로 조직하고, 건물을 짓고, 종교 서비스에 많은 시간을 보낸다. 다른 사람들은 집을 짓고 풍경을 만드는 데 시간을 보낸다. 이것은 전혀 필수적이지 않지만, 옛 습관이 활동에 영향을 미친다.

아스트랄계의 평범한 사람은 육체적 필요에 의해 엄격히 강요된 의무의 반복을 피할 수 있다면 이곳에서 대부분의 사람들이 그러하듯이 게으름과 영적 삶의 강렬한 감정의 즐거움에 빠진다. 그들 대부분은 또한 물리적 세계에서 떠나온 집을 매일 방문한다. 가족 구성원과 강한 애정의 유대를 가진 사람들은 자주 그 주위에 머물며 사랑하는 사람과 함께 작은 여행을 나선다. 그들은 죽은 사람이 살아있는 사람에게 인식되지 않는다는 것을 이해하지만, 그럼에도 불구하고 가까이 있고 싶어 한다. 그들은 살아있는 사람이 생각하고 행동하는 모든 것을 완전히 의식하지는 못하지만, 감정 상태, 즉 살아있는 친구가 지나가는 사건에 의해 기분 좋게 또는 불쾌하게 영향을 받는지를 완전히 인식한다.

아스트랄 삶에 점점 더 익숙해지면서 새로 도착한 개인은 점차 그곳에 정착하고, 물리적 세계보다 더 진정한 관점을 가지게 된다. 시간이 지남에 따라 그는 물리적 삶의 일들과 점점 더 멀어지며, 결국 아스트랄계의 더 높은 수준으로 넘어가면서 의식을 완전히 잃게 된다.

그러나 삶을 더 진지하게 바라보고 지식을 얻을 기회를 놓치지 않는 사람들이 많이 있다. 오컬트를 공부하는 학생들은 아스트랄 세계를 "배움의 전당"이라고 부르며, 이곳은 그들에게 매우 좋은 조건을 제공한다. 우리가 사는 이 세계에서는 물질의 세 차원에 제한되고, 물리적 감각의 매우 좁은 범위에 얽매여 있다. 그러나 아스트랄 세계에서는 물질이 네 차원을 가지며, 새로운 경이로운 학습의 길이 학생들 앞에 열린다. 음악이나 예술에 관심이 있는 사람들은 그 분야와 시설이 엄청나게 확장된 것을 발견하게 된다. 자연을 연구하는 사람들, 자연의 비밀을 직접 탐구하거나 원리를 조합해 새로운 과정과 발명을 해내는 사람들은, 이 차원에서는 과학자나 발견자가 상상조차 하지 못했던 기회를 가지게 된다. 따라서 사색적이고 학구적인 사람들에게 아스트랄 세계에서는 가장 유용하고 매혹적인 삶이 펼쳐진다.

그러나 유용성과 진보의 기회가 학구적인 사람들만을 위한 것이라고 생각해서는 안 된다. 이곳에서처럼, 인류를 돕는 유용한 일의 기회는 무한하다. 비록 빈곤과 질병은 완전히 사라졌지만, 다른 종류의 자선 활동이 많이 필요하다. 사람들은 배워야 한다. 이곳에서처럼, 대부분의 사람들은 자연의 법칙을 이용하여 빠르게 진보하고, 그 법칙과 조화를 이루며 최대한의 행복을 얻는 방법에 대한 지식이 절실히 필요하다. 그러나 해야 할 일은 교육에만 국한되지 않는다. 교육이 필요하게 만든 무지 때문에 많은 사람들이 불행한 상태에 빠졌으며, 즉각적인 도움이 절실히 필요한 다양한 무력 상태가 존재한다. 따라서 아무도 손을 놓고 있을 필요가 없다.

사후세계에 대한 잘못된 가르침 때문에 많은 사람들은 영적 삶에 처음 도달했을 때 혼란에 빠진다. 죽기 전에 '구원'받지 않으면 끔찍한 운명이 기다린다는 생각이 너무나도 강하게 각인되어 있어, 실제로 죽음을 맞이했을 때 공포에 빠진다. 또 다른 사람들은 이런 오해에 사로잡히지 않았더라도, 물리적 삶에 너무 집착한 나머지 에테르체와 아스트랄체가 완전히 분리되지 못하는 경우도 있다. 그 결과, 불운한 사람은 물리적 세계와 단절되었지만 아스트랄계에도 도달하지 못한 상태에 놓인다. 에테르 물질의 구름에 싸인 채, 그는 한동안 알 수 없는 공포에 떨며 떠돌아다닌다. 이때 친절한 영혼들이 그를 구해내어 소중한 도움을 줄 수 있다.

가장 흔히 접하는 것은 대부분의 사람들이 죽음에 대해 느끼는 두려움이다. 그들은 아스트랄 세계에 도착했을 때 모든 것이 낯설고 불확실하다는 느낌을 받는다. 사후 세계에 대한 사전 개념이 갑자기 신뢰할 수 없게 되고, 알 수 없는 것에 대해 두려움을 느낀다. 이들은 새로운 세계에 대해 조금이라도 아는 사람에게 의지하려 한다. 매일 수만 명이 아스트랄 세계에 도착한다는 점을 고려하면, 도움이 되고자 하는 사람들에게는 할 일이 많다는 것이 분명하다. 아스트랄 차원에 대한 특별한 지식은 필요하지 않다. 상식만으로도 충분히 유용한 일을 할 수 있으며, 그 세계의 즐거움에만 몰두하는 대신 유익한 활동을 할 수 있다. 물론, 도우미의 일은 복잡성이 높아지며, 가장 많은 지식과 기술을 가진 사람들을 위한 가치 있는 활동이 많이 있다. 이들은 보통 잘 조직된 그룹에서 일하며 실용적인 가치를 지닌 서비스를 제공한다.

아스트랄 차원에서의 삶도 물리적 평면에서의 삶과 마찬가지로 끝이 있다. 자연의 목적이 달성되고 사람이 진화의 다음 단계로 나아갈 준비가 되었기 때문이다. 아스트랄 삶의 길이는 물리적 세계에서와 마찬가지로 다양하다. 어떤 물리적 삶은 매우 길고, 때로는 5년 또는 그 이상이 지나야 에고가 사라지기도 한다. 반면에 다른 삶은 매우 짧아 시작하자마자 예기치 않게 끝나기도 한다. 그럼에도 불구하고 일반적인 평균을 찾을 수 있다. 다른 사람들에 대한 평균을 구할 수 있는 것처럼, 일반적인 건강과 체력을 가진 대부분의 사람들이 특정 연령에 도달할 가능성이 높다고 말할 수 있다. 신체적 결함을 가진 사람들이 더 젊은 나이에 육체를 잃을 확률이 높다고 말할 수 있는 것처럼, 이러한 일반적인 규칙은 아스트랄계의 삶에도 적용될 수 있다.

물리적 차원의 목적은 더 높은 차원에서 지혜로 전환될 경험을 모으는 것이기 때문에, 여기서는 길고 깨어 있는 삶이 가장 바람직하다. 이것은 나중에 수확할 씨앗을 심는 시기이다. 하지만 아스트랄 차원은 대부분의 사람에게 정화 과정과 관련이 있다. 그 삶에서 물리적 삶의 오류가 대부분 해결되고, 정원에서 자란 잡초 같은 욕망이 뿌리 뽑히며, 미덕이 발아한다. 잘못된 점이 수정되고 도덕적 관점이 재정립되는 교정의 차원이다. 따라서 이 과정을 빨리 마치는 것이 좋다. 물리적 차원에서는 긴 삶이 바람직한 반면, 아스트랄 차원에서는 가장 짧은 삶이 큰 상이다. 이는 이곳에서 가장 순수하고 고귀한 삶을 산 사람들에게 주어진다. 아스트랄 세계를 빨리 벗어나 정신계, 즉 천계에서 수확을 시작하는 것이 그에게는 더 좋다.

아스트랄 세계에서의 체류 기간은 주로 아스트랄 몸의 내구성에 달려 있으며, 이는 그가 이 세상에서 어떤 삶을 살았는지에 따라 결정된다. 만약 그가 매우 저속하고 감각적인 삶을 살았다면, 그런 유형의 감정은 그의 아스트랄체에 더 저속한 물질을 쌓고 이미 존재하던 가장 낮은 등급의 물질을 강화하고 활력을 불어넣는다. 또한 그가 통제할 수 없는 분노를 자주 표출하고, 잔인하고 복수심에 불타 다른 사람에게 상처를 입히는 기회를 찾고 또 찾았다면, 이는 아스트랄 세계의 하위 단계에서 오랜 시간을 보내게 할 것이다.

이제 다른 유형의 사람을 생각해보자. 주변 사람들과 평화롭고 조화롭게 사는 사람의 경우를. 그는 아내와 아이들에게 강한 애정을 느끼며, 그의 명랑하고 도움을 주며 공감하는 태도로 많은 친구를 가지고 있다. 그는 깨끗하게 살고 고상한 생각을 한다. 그의 마음은 사소한 일들로부터 자유롭고, 혀를 험담에 사용되지 않는다. 그는 자존심, 시기심, 야망을 없애기 위해 결연하고 지속적인 노력을 기울인다. 그는 항상 다른 사람의 복지를 먼저 생각하고 자신을 마지막으로 생각하는 습관을 기른다. 즉, 그는 이기심을 제거하고 모든 것을 객관적으로 보려고 노력한다. 그런 사람은 아스트랄 삶의 불쾌한 부분을 전혀 알지 못할 것이며, 높은 단계의 부분을 빠르게 통과하여 천상 세계의 황홀한 행복에 도달할 것이다.

하위 단계에서 사람은 점차 상위 단계로 올라간다. 그는 자신의 아스트랄체에서 해당 단계의 물질을 제거하는 데 필요한 시간만큼 그 단계에 머물게 된다. 그런 다음 즉시 다음 상위 단계에서 의식을 갖는다. 더 거친 물질은 최종적으로 그가 그것을 통해 생명력을 보내는 것을 멈추었을 때 떨어져 나간다. 충족되지 않은 욕망은 결국 소멸되고, 그는 자유로워진다. 이 과정은 사람의 삶에 대한 태도에 따라 크게 가속되거나 지연될 수 있다. 만약 그가 어리석게도 자신의 욕망에 집착한다면, 그는 그러한 욕망에 새로운 활력을 불어넣고 그 생명을 연장시킨다. 반면에 결단력 있게 마음을 더 높은 것들로 돌릴 수 있다면 해방을 앞당길 수 있다. 운명은 자신의 손에 달려 있으며, 이러한 지식을 가지고 있다면 그는 참으로 운이 좋다.

노령으로 죽는 사람은 전성기 성년 때 죽는 사람보다 더 빨리 아스트랄 세계를 통과할 것이다. 세월이 쌓이면서 가장 낮은 등급의 아스트랄 물질에 생명력을 불어 넣는 감정이 그다지 두드러지지 않게 되고, 그 감정을 표현하는 물질은 활력을 잃는다. 이것이 물질세계에서 오래 사는 것이 바람직한 또 다른 이유이다.

마음이 물질세계에 집착하는 것은 아스트랄계에서의 머묾을 크게 연장시키는 원인 중 하나이다. 어떤 사람은 물질적인 것에 너무 집착하여, 육체를 잃은 후에도 과거의 삶에서 마음을 떼지 못한다. 이러한 어려움은 반드시 개인의 야망과 물질적 축적에만 에너지를 쏟았기 때문에 발생하는 것은 아니다. 때때로 한 나라의 통치자는 가능한 한 여전히 국정을 관리하려는 강한 의지를 가지고 있어, 이러한 물질세계에 대한 생생한 관심이 불행하게도 아스트랄 세계에서의 기간을 연장시킨다.

보통 아스트랄계에서의 체류 기간은 물리적 삶의 기간과 비교했을 때 상대적으로 짧다. 지상에서 70년을 살았다면 아스트랄계에서 30년에서 40년을 머무를 수 있다. 그러나 이는 그가 방금 끝낸 물질적 삶뿐만 아니라 그의 인간 진화에서의 전반적인 위치에 따라 다르다. 낮은 유형의 야만인은 비교적 긴 아스트랄 삶을 가질 것이고, 높은 수준의 문명에 있는 사람은 비교적 짧은 기간을 보낼 것이다. 문명화된 삶의 하위 단계에 있는 사람은 두 극단의 중간쯤에 있다고 할 수 있다. 그러나 이러한 추정치는 매우 일반적인 것이며, 문명화된 사람들 사이에서도 개인차가 존재한다. 어떤 사람들은 아스트랄계를 매우 천천히, 그리고 하위 단계에서는 고통스럽게 지나갈 것이며, 다른 사람들은 몇 분 만에 행복하게 물리적 죽음에서 천상 세계로 거의 즉시 넘어간다. 그러나 이러한 사람들은 예외적인 경우라고 할 수 있다.

아스트랄계로 넘어간 이들과의 소통은 가능하지만, 여러 가지 이유로 항상 바람직한 것은 아니다. 과학적 연구자들의 손에서 의식의 연속성을 증명하는 증거로서 그러한 소통은 매우 큰 가치를 지닌다. 잃어버린 친구들과 다시 접촉한 사람들에게 그러한 메시지는 특히 가족의 사적인 공간에서 수신되었을 때, 유족들에게 헤아릴 수 없는 위로를 제공한다. 육체를 잃은 사람들은 일반적으로 목적을 위해 사용되는 일반적인 방법을 통해 쉽게 접근할 수 있으며, 이러한 소통이 남겨진 사람들의 슬픔을 새롭게 불러일으키고 그로 인해 떠난 사람들을 크게 우울하게 하지 않는 한 큰 해를 끼치지는 않을 것이다. 그러나 죽은 자들이 더 멀리 나아가고 물질세계와의 접촉이 사실상 끊어진 후에는 그들의 주의를 뒤로 돌리는 것이 그들에게 해로울 수 있다. 이러한 이유로 신중한 오컬트 연구자들은 메시지를 얻으려는 시도를 거의 하지 않으며, 하더라도 해당 경우의 모든 상황을 적절히 고려한다.

세상을 떠난 사람들과 남은 사람들의 이익을 위해서라도 모든 사실을 충분히 고려해야 한다. 진실은, 우리가 상실감 때문에 어떤 종류의 메시지를 갈망한다는 것이다. 우리는 잃어버린 듯한 사람과 다시 연락하고 싶어 한다. 그러나 그의 안위에 대해서는 많이 생각하지 않는다. 사실 그는 우리를 잊지 않고 있으며 우리가 느끼는 분리감을 느끼지 않는다. 그는 항상 우리를 볼 수 있으며 우리의 감정과 생각을 인지할 수 있다. 우리가 잠자는 동안 그는 우리와 가장 완전하고 자유롭게 소통하며, 우리는 그와 함께한다. 깨어났을 때 우리는 보통 이 사실을 기억하지 못하며, 기억이 나는 경우에도 그것을 꿈이라고 생각한다. 그러나 그는 그렇지 않다. 그의 기억은 완벽하며, 그 결과 그는 우리의 분리와 상실감을 전혀 느끼지 않는다.

숙련된 오컬티스트들의 연구를 통해 쉽게 얻을 수 있는 지식은 우리가 매일 밤 죽은 자와 대화한다는 사실에 만족하게 하며, 영매를 통한 의사소통은 과학적 조사자들에게 맡겨야 한다고 생각하게 한다. 사물의 자연스러운 질서는 아스트랄계로 들어간 사람이 시간이 지나면 내면의 삶에만 집중하고 물리적 차원의 문제와 완전히 분리되어야 한다는 것이다. 이는 그가 머물러서는 안 되는 수준을 빠르게 통과할 수 있는 정신적, 정서적 상태이다. 이때 주의를 물리적 세계로 돌리면 극심한 고통을 겪을 수 있다고 한다.

신비주의에 대한 지식과 함께 기독교 경전을 읽으면 종종 주제에 대한 새로운 통찰을 얻을 수 있다. 이에 대한 예는 사울이 왕국의 위기에 대한 심령 정보를 얻기 위해 엔도르의 여인을 방문한 이야기에서 찾을 수 있다. 그 여인은 황홀경에 빠져 사무엘이 임박한 전투에 대해 사울에게 알려주는 매개체 역할을 했다. 사무엘의 첫 마디는 사울을 향한 비난이었다. "네가 어찌하여 나를 불러내어 불안하게 하였느냐?"라는 그의 인사말이었다. 이는 불쾌한 사람의 언어다. 사울이 자신과 대화하고 싶은 강한 욕망으로 그의 관심을 물질세계로 강제로 끌어들였기 때문에 사무엘은 "네가 어찌하여 나를 불안하게 하였느냐?"라고 책망한 것이다.

여기서 언급되는 의사소통에 관한 내용은 일반적인 원칙에 대한 것이다. 이는 항상 저승에 있는 사람들과의 소통이 바람직하지 않다는 것을 암시하려는 의도는 아니다. 종종 저쪽에 있는 사람들이 소통의 방법을 찾고자 하며, 이럴 때 이쪽에서 최대한 협조해주는 것이 중요하다. 때로는 육체적 삶을 떠난 사람이 전달해야 할 중요한 메시지가 있을 수 있으며, 이러한 경우에는 일반적인 규칙이 뒤집히게 된다. 그가 소통할 수 없으면 지연될 것이고, 마음의 짐을 덜어내는 것이 그에게 크게 유리할 것이다. 메시지를 전달하지 못하면 불안한 상태에 머물 수 있으며, 이는 영매들이 "지상에 묶인 영혼"이라고 부르는 범주에 속하게 된다. 그가 갑자기 죽어서 말할 기회가 없었던 비밀을 숨겼거나, 메시지를 통해 바로잡아야 할 무언가를 남겨두었을 수 있다. 또는 단순히 물질주의적 친구들에게 죽은 자들이 죽지 않았고 가까이에 있다는 사실을 증명하고자 할 수도 있다. 중요한 정보가 살아있는 사람의 꿈으로 전달되어 귀중품을 회수하는 경우도 있다. 이러한 경우, 꿈은 아스트랄 생활에서 잘 알고 있지만 물질적 뇌에 의해 응답되지 않는 사실의 기억이다.

때때로 소통을 간절히 원하지만, 방법을 전혀 모르는 사람이 많은 불편을 초래할 수 있다. 그의 서툰 시도로 인해 심령적 힘이 전혀 효과를 발휘하지 못하고, 무의미한 소음, 책이나 접시가 선반에서 떨어지거나 가구가 목적 없이 움직이는 결과를 초래할 수 있다. 또한 장난을 치는 것이 재미있다고 생각하는 사람들에 의해 의도적으로 불편을 초래하는 경우도 있다. 아스트랄계로 넘어간다고 해서 상식이 향상되는 것은 아니다. 여기서 살면서 누군가를 놀라게 하거나 속이는 것을 재미있어 했다면, 여전히 같은 행동을 즐겁게 여길 것이다. 이는 세션에서 받는 많은 어리석거나 때로는 놀라운 메시지나 질문에 대한 답변을 설명해준다.

물리적 세계와 아스트랄 세계 간의 소통이 가능하다면 왜 가치 있는 발견이나 발명으로 이어질 수 있는 정보를 받지 못하는지에 대한 질문이 자주 제기된다. 죽음이 지혜를 부여하지 않는다는 사실이 그 일부를 설명한다. 그러나 더 중요한 사실은 소통이 하위 수준에서는 쉽지만 상위 수준으로 갈수록 어려워진다는 점이다. 세션을 많이 경험한 사람들은 "가이드"나 "컨트롤"이 자주 인디언 등 낮은 수준의 진화 단계에 있는 사람들임을 잘 알고 있다. 소통이 쉬운 아스트랄 수준의 주민들 대부분은 큰 가치를 지닌 아이디어를 제공할 수 있는 유형이 아니다. 지적 능력을 가진 사람은 대부분 아스트랄 세계의 상위 수준에서 시간을 보낸다. 여기서 어느 정도 성공을 거둔 과학자나 발명가는 하위 수준에서 많은 의식을 가질 가능성이 적다. 지적 추구를 따른 사람의 서식지는 아스트랄계의 일곱 하위 구분 중 가장 높은 곳이며, 그 수준과 소통하는 것은 일반적인 영매에게는 거의 불가능하다.

무분별한 영계와의 소통을 반대하는 이유 중 하나는 가장 낮은 등급의 존재들이 매우 쉽게 접근할 수 있다는 사실에 있다. 이는 흔히 볼 수 있는 평범한 메시지들이 넘쳐나는 이유일 뿐만 아니라, 특히 사람들이 영적 영향에 더 민감해지기 위해 "서클"을 형성하는 경우 실제로 위험의 원천이 되는 경우가 많다. 이러한 경우, 모든 메시지를 절대적인 진리로 받아들이는 경우가 흔하다. 대체로 그러한 모임을 주관하는 영적 존재들은 진지하고 정직하다는 것에는 의심의 여지가 없다. 그러나 그들은 전지전능하지 않으며, 때때로 참석자들 중 일부가 부분적으로나 완전히 영적 존재들에게 사로잡히는 일이 발생할 수 있으며, 이는 매우 심각한 문제로 이어질 수 있다. 일부 사람들은 이로 인해 정신을 잃기도 하고, 생명을 잃기도 한다.

물론, 다른 사람의 육체를 차지하려는 욕망을 가진 존재는 저급한 유형의 영적 존재일 뿐이다. 그 목적은 육체를 잃은 후에도 남아 있는 욕망을 충족시키기 위함이다. 예를 들어, 죽은 주정뱅이는 흔히 볼 수 있는 집착하는 존재의 대표적인 사례다. 만약 집착이 부분적이라면, 강하고 저항할 수 없는 알코올에 대한 충동을 느끼는 정도로 끝날 수 있다. 물론, 의도적으로 영적인 문을 열지 않아도 집착이 발생할 수 있다. 그러나 어떤 경우에도, 집착하는 존재의 도덕적 결함에 반응하는 무언가가 피해자 내부에 있지 않다면 집착은 불가능하다.

부분적인 집착은 꽤 흔하게 발생하며, 이러한 경우를 다루기 위한 최선의 방법에 대한 문의도 자주 있다. 이는 영적 존재들이 주변에서 떠나지 않고 머무르거나 실제로 괴롭히는 정도로 귀찮은 일일 수도 있다. 이러한 모든 경우에 피해자는 침입자들과 의식적으로 접촉하고 소통하게 된다. 이 주제에 대한 세계 최고의 권위자 중 한 명은 보이지 않는 영역을 끊임없이 조사하며, 두 명의 질문자에게 자세한 답변을 제공했다. 그의 답변은 실질적인 가치가 있어 재현할 만한 가치가 있다. 두 번째 질문 자체가 집착하는 존재들의 성격을 잘 보여준다. 첫 번째 질문자는 이렇게 묻는다.

"자신의 몸을 계속 점유하려는, 육체를 벗어난 인간을 없애는 가장 좋은 방법은 무엇인가요?"

대답은 다음과 같다:

"단호하고 절대적으로 그러한 집착을 거부해야 합니다. 가장 좋은 방법은 죽은 사람과 대화를 나누어 그가 무엇을 원하고 왜 그렇게 끈질기게 시도하는지 알아보는 것입니다. 아마도 그는 새로운 환경을 전혀 이해하지 못하고, 자신이 이해하는 유일한 삶의 방식과 다시 연결되려고 미친 듯이 애쓰는 무지한 영혼일 수도 있습니다. 이런 경우, 상황을 설명해주면 그가 더 행복한 마음 상태로 바뀌고, 잘못된 노력을 멈추게 할 수 있습니다. 혹은 그 불쌍한 존재가 어떤 마음의 짐, 예를 들어 미완의 의무나 해결되지 않은 잘못을 가지고 있을 수도 있습니다. 만약 그렇다면, 그의 마음을 만족시키는 방법으로 문제를 해결하면 그는 평화를 찾을 수 있을 것입니다."

"하지만, 그가 이성적인 설명을 받아들이지 않고, 모든 논쟁과 설명에도 불구하고 그의 잘못된 행동을 포기하지 않는다면, 부드럽지만 단호하게 저항해야 합니다. 모든 사람은 자신의 몸을 사용할 권리가 있으며, 이러한 침해는 허용되어서는 안 됩니다. 몸의 정당한 소유자가 자신을 확고히 주장하고 자신의 의지력을 사용하면, 어떤 집착도 일어날 수 없습니다."

"이러한 일이 발생할 때, 거의 항상 피해자가 처음에 자발적으로 침입 영향에 자신을 굴복시켰기 때문에 발생합니다. 따라서 첫 번째 단계는 그 굴복 행위를 되돌리고, 강하게 결심하여 다시 상황을 자신의 손에 넣고 자신의 몸에 대한 통제권을 되찾는 것입니다. 자신을 재확립하는 것이 근본적인 요구 사항이며, 지혜로운 친구들이 많은 도움을 줄 수 있지만, 피해자의 의지력 개발을 대신할 수는 없으며, 그것의 필요성을 피할 수는 없습니다. 구체적인 절차는 당연히 사례의 세부 사항에 따라 달라질 것입니다."

같은 권위자가 동일한 주제에 대해 또 다른 질문에 답하고 있다. 그는 분명히 특정 존재들을 목격한 후 이 문제를 다루고 있다:

"저는 오랫동안 끊임없이 악한 생각을 암시하고 거친 언어와 폭력적인 말을 사용하는 존재들 때문에 고통받아 왔습니다. 그들은 항상 저에게 술을 마시라고 강요하고, 많은 양의 고기를 소비하도록 부추깁니다. 저는 간절히 기도했지만 별 소용이 없었고, 이제는 어찌할 바를 모르겠습니다. 어떻게 해야 할까요?"

이에 대해 심령 과학자는 다음과 같이 답변한다:

"당신은 정말 큰 고통을 겪으셨습니다. 하지만 이제는 더 이상 고통받지 않겠다는 결심을 하셔야 합니다. 용기를 내어 단호히 맞서야 합니다. 이 죽은 자들이 당신을 지배하는 힘은 오직 당신의 두려움에서 나옵니다. 당신의 의지가 그들의 힘을 모두 합친 것보다 강하다는 것을 알기만 한다면, 결단력과 단호함으로 그들에게 맞서면 그들은 물러설 수밖에 없습니다. 당신은 자신의 공간을 방해받지 않고 사용할 권리가 있으며, 평화를 요구해야 합니다. 물리적인 세계에서 더럽고 혐오스러운 존재가 집에 침입하는 것을 용납하지 않을 것입니다. 왜 그 존재들이 천체에 있다고 해서 참아야 합니까? 불손한 떠돌이가 집에 억지로 들어오면,

집주인은 무릎 꿇고 기도하지 않습니다. 그 떠돌이를 쫓아내야 합니다. 천체 떠돌이들에 대해서도 똑같이 해야 합니다."

"당신은 아마 제가 이런 조언을 할 때, 제가 당신을 괴롭히는 특정 악마들의 무서운 힘을 모른다고 생각할 것입니다. 그들이 바로 당신에게 그렇게 믿게 만들고 싶어 하는 것이며, 실제로 그렇게 믿게 만들려고 할 것입니다. 하지만 그 말을 듣는 어리석은 짓은 하지 마세요. 저는 그들의 유형을 완벽히 알고 있습니다. 그들은 비열하고 경멸스러우며, 약한 여성을 몇 달 동안 괴롭히지만, 당신이 의로운 분노로 맞설 때는 겁에 질려 도망갈 겁니다. 저는 그들을 비웃겠지만, 한순간도 망설이지 않고 쫓아낼 것입니다. 물론, 그들은 당신이 오랫동안 그들의 방식에 따랐기 때문에 쉽게 물러서지 않으려고 할 것입니다. 하지만 철저한 결단력으로 맞서고, 당신의 의지를 움직일 수 없는 바위처럼 세우면, 그들은 결국 무너지게 될 것입니다. 그들에게 이렇게 말하세요: '나는 신성한 불꽃의 한 조각이며, 내 안에 있는 신의 힘으로 너희에게 떠나라고 명령한다!' 절대 실패나 양보를 생각하지 마세요. 신은 당신 안에 있으며, 신은 결코 실패하지 않습니다."

아스트랄 세계에서 우리에게 가장 중요한 주제 중 하나는 죽은 자들에 대한 올바른 마음가짐과 감정이다. 흔히 그들이 물리적 세계를 떠났을 때 더 이상 그들을 위해 할 수 있는 일이 없다고 말하지만, 이는 큰 오해다. 그들과의 연결은 결코 끊어진 것이 아니다. 그들은 감정적으로 우리와 여전히 연결되어 있을 뿐만 아니라, 그들의 감정은 물리적 몸을 통해 표현할 때보다 훨씬 더 예민해졌다. 그들은 이제 아스트랄체로 살고 있으며, 이 몸은 감정적 진동에 훨씬 더 민감하게 반응한다. 여기서의 기쁨은 저기서는 훨씬 더 큰 기쁨이 되고, 여기서의 우울함은 저기서는 백배 더 우울하게 느껴질 것이다. 이 사실은 친구나 사랑하는 사람이 세상을 떠났을 때 슬픔과 절망에 빠지기 쉬운 사람들에게 중요한 경고가 된다. 그들은 공간상으로 멀리 있지 않으며, 우리의 감정은 그들에게 깊고 즉각적인 영향을 미친다.

우리는 모두 기분이 전염된다는 사실을 잘 알고 있다. 기분이 좋은 사람은 주변 사람들의 기분을 북돋우고, 우울한 사람은 가는 곳마다 우울함을 퍼뜨린다. 이는 단순한 진동의 문제다. 가족 중 항상 '우울함'을 느끼는 사람이 있다면, 그 사람은 전체 가정의 행복을 망칠 수 있다. 물리적 세계에서 슬픔이 초래하는 가장 우울한 효과를 생각해보고, 그 효과를 백배로 늘려보면, 우리가 물리적 몸에서 느끼는 감정이 아스트랄 세계에 미치는 영향을 과장하지 않고 이해할 수 있다. 따라서, 슬퍼하는 친척의 슬픔이 여기서 우리를 괴롭힌다면, 그러한 슬픔의 대상이 되는 사람에게는 그 슬픔이 훨씬 더 큰 고통을 줄 것이 분명하다. 이해한다면 결코 그 사람에게 슬픔을 주고 싶지 않은 사람들이 그를 괴롭히는 상황이 되는 것이다.

우리는 단순히 애도하는 태도를 바꾸는 것만으로도 이른바 사망자들을 도울 수 있고, 그들을 훨씬 더 행복하게 만들 수 있다. 모든 격렬한 슬픔의 표현은 피해야 하며, 상황을 최대한 긍정적으로 받아들이려는 결단력을 키워야 한다. 상황이 정말 나쁠 수 있지만, 우리의 슬픔은 그것을 더욱 악화시킨다. 서구 문명의 장례 관습은 그들의 물질주의와 일치한다. 우리는 죽은 자가 우리에게서 완전히 사라졌다고 믿는 것처럼 행동한다. 우리는 가능한 한 모든 것을 어둡고 우울하게 만든다. 그러나 우리는 서서히 발전하고 있다. 얼마 전까지만 해도 누군가가 죽으면, 그 자리에 있던 사람들은 시계의 시침을 멈추고, 창문 커튼을 내리고, 발끝으로 걸으며, 최대한 경외심과 우울함을 더하는 방식으로 행동했다. 우리는 여전히 어둡고 우울한 검은 옷을 입고, 우리의 내적 고통을 외적으로도 최대한 더하려 한다.

보다 합리적인 마음가짐은 어떤 신지학적 장례식이나, 점점 더 자주 생각하는 사람들의 장례식에서 관찰할 수 있다. 장례식은 슬픔의 최종 표현의 자리가 아니라, 물리적 세계에서의 인생을 마친 동료에게 친절한 생각과 도움의 좋은 소망을 보내는 친구들의 모임이어야 한다. 일반적인 느낌은 마치 친구들이 오랜 세월 또는 평생 동안 머물러야 하는 먼 곳으로 여행을 떠나는 사랑하는 여행자를 배웅하러 부두에 모이는 것과 같아야 한다. 그의 복지에 대한 생각이 꾸준히 이어져야 하며, 친구들의 상실에 대한 생각은 없어야 한다. 자신을 생각하는 슬픔은 이기심의 표현이며, 모두에게 해롭다. 사람은 다른 상황에서 분노를 억제하듯이, 이러한 문제에서도 자제력을 발휘해야 한다.

사랑하는 사람이 세상을 떠났을 때 슬픔을 억제하는 것은 결코 쉬운 일이 아니다. 하지만 조금이라도 성공한다면 아무런 노력을 하지 않는 것보다 훨씬 나으며, 우리가 애도하는 사람에게도 도움이 될 수 있다. 불필요한 사건을 피함으로써 많은 것을 이룰 수 있다. 많은 사람들이 정기적으로 묘지를 방문하는 어리석은 습관에 빠져 있다. 조금만 분석해 보면 이것이 우리의 물질주의적 사고방식의 또 다른 증거일 뿐이며, 이러한 습관은 존재해서는 안 될 감정을 계속 유지시키는 역할을 한다. 우리가 세상을 떠난 사람들을 자주, 그리고 애틋하게 생각하는 것은 물론 나쁜 일이 아니지만, 그들을 죽은 존재나 멀리 있는 존재로 생각하게 만드는 행동은 피해야 한다. 그들이 살아 있고, 건강하고, 행복하며, 가까이에 있다는 사실을 마음에 항상 새겨야 한다. 이는 우리가 이기적인 슬픔으로 그들의 평안을 어리석게 파괴하지 않는다면 거의 모든 경우에 사실일 것이다.

때때로 이 주제에 대한 힌트는 아스트랄계에서 직접 오기도 한다. 최근에 올리버 로지 경이 그의 심령 연구 실험에 대해 쓴 책에서, 전쟁에서 죽은 그의 아들로부터 온 메시지가 있다. 그의 아들은 가족 크리스마스 저녁 식사에 참석하고, 그를 위해 마련된 자리에 앉겠다고 약속했으며, 단 조건은 가족들이 그에 대해 어두운 생각을 하지 않는 것이었다. 육체를 잃은 후 감정적 반응이 아스트랄체에 미치는 영향을 알고 있는 사람이라면 그 젊은이가 제시한 조건에 놀랄 수 없다.

화장(火葬)을 지지하는 사람들은 시신을 일정 기간 동안 무덤이나 묘지에 보존하는 것이 슬픔을 지속시키는 경향이 있다는 점에서 강력한 주장을 펼친다. 시신이 재로 변하면 몸이 곧 사람이라는 착각이 물질적인 근거를 덜 가지게 되는 것 같다. 무덤이나 묘지를 방문하는 것은 슬픔을 다시 불러일으켜 우리가 애도하는 사람들에게 큰 고통을 줄 뿐만 아니라, 묘지의 환경이 슬퍼하는 사람들에게 가장 나쁜 환경 중 하나이기 때문이다. 묘지는 집중된 슬픔의 음울한 공원으로, 각 애도자가 다른 모든 사람들의 감정적 고통을 더 심화시킨다. 우리가 세상을 떠난 사람들에 대해 취할 수 있는 유일한 합리적인 태도는 그들이 즐겁고 바쁜 삶을 살고 있으며 매일 우리를 찾아온다고 생각하는 것이다. 비록 대부분의 사람들이 이를 인식할 정도로 민감하지는 않지만 말이다. 우리는 이 사실을 깨닫고 우리의 습관을 그 사실에 맞게 조정해야 한다. 여전히 흔한 잘못된 생각에 사로잡힌 평균적인 사람은 엄청난 상처를 주고 있으며, 자신이 사랑하는 사람들의 삶에 큰 우울감을 불러일으킨다. 하지만 그들을 항상 밝게 생각하고 매일 평온과 평화의 생각을 보내는 것으로 그 우울감을 생생한 기쁨으로 바꿀 수 있다.

CHAPTER IX. 환생: 그 합리성

생명은 과학이 다루어야 할 가장 이해하기 어려운 것이지만, 최근 몇 년 동안 생명과 물질에 대해 많은 것을 배웠다. 흥미로운 사실은 우리가 더 많이 배울수록 물질주의자들의 수가 줄어들고 있다는 점이다. 여전히 자신의 물질주의 철학을 주장하는 유일한 저명한 과학자는 헤켈이며, 한 동료 과학자는 그에 대해 "그는 마치 19세기 중엽의 생존하는 목소리와 같다"고 썼다. 또한, 과학계에서 거의 버려진 헤켈의 입장을 언급하며 그의 목소리를 "전진하는 군대의 선구자나 선봉이 아니라, 새로운 이상주의적 방향으로 행진하는 동료들의 후퇴하는 행렬에 의해 버려진 채 여전히 대담하고 굴하지 않는 기수의 절망적인 외침과 같다"고 표현했다.

이처럼 과학적 물질주의의 옛 입장은 모든 진보적인 과학자들에 의해 버려지고 있다. 우리는 아직 생명에 대해 많은 것을 알지 못하지만, 과학은 논리적으로 결론을 도출하고 작업가설을 구성할 수 있는 사실과 원칙을 이해할 수 있을 만큼 충분히 발전해 왔다. 영국의 한 주요 대학의 총장이자 세계에서 가장 저명한 과학자 중 한 명인 올리버 로지 경은 생명에 대한 자신의 개념을 설명하면서 "생명은 현상적 출현, 즉 여기서 지금 우리에게 드러나는 모습과 모든 지상 활동을 위해 물질에 의존하지만, 그 본질적인 존재는 독립적이며 지속적이고 영구적이라고 생각한다. 생명은 물질과의 상호작용이 불연속적이고 일시적이지만, 진화의 법칙에 따르며, 현상적 상태든 숨겨진 상태든 선형적인 발전이 가능하다고 추측한다."라고 말했다.

나중에 같은 저서에서 그는 "삶은 기계론의 범주, 즉 물질과 에너지의 범주를 벗어난 것 - 그러나 물질적 힘을 통제하고 지시할 수 있는 것"이라는 의견을 표명한다.

그의 저서 '생명과 물질'의 결론에서 이 저명한 과학자는 다음과 같이 말한다:

"확실한 것은 생명이 이 행성에 존재하는 복잡한 물질 집합체에 활력을 불어넣고, 그 에너지를 이용해 한동안 자신을 지구 환경 속에서 드러낸다는 것이다. 그러고 나서 그것은 사라지거나 증발하는 것처럼 보인다. 생명은 끊임없이 도래하고 끊임없이 사라진다. 생명이 여기 있는 동안, 만약 그것이 충분히 높은 수준에 도달하면, 생명체는 움직이며 여러 목표를 추구한다. 그 목표 중 일부는 가치가 있고, 일부는 그렇지 않다. 생명체는 그로 인해 일정한 개성과 성격을 얻는다. 또한 자신의 정신적, 영적 존재를 인식하게 되면, 주변 환경에 반쯤 드러나고 반쯤 숨겨진, 그리고 유사한 정신에게만 이해될 수 있는 마음의 존재를 탐구하기 시작한다. 이렇게 해서 법칙과 질서의 체계가 새롭게 탄생한 영혼에게 희미하게 떠오르기 시작하며, 진리, 선, 아름다움에 대한 명확한 개념을 형성하기 시작한다. 생명체는 영구적인 가치를 지닌 무언가를 성취할 수도 있고, 예술 작품이나 문학 작품을 창조할 수도 있다. 감정의 영역에 들어가 가장 숭고한 아이디어를 발전시킬 수도 있고, 짐승보다 더 타락할 수도 있으며, 거의 신성에 가까운 경지로 날아오를 수도 있다."

"물질 분자 집합체가 그 자체의 도움받지 않은 잠재적 힘으로 이 개성을 생성하고, 이 성격을 획득하며, 이 감정을 느끼고, 이 아이디어를 발전시킨 것일까요? 그렇게 생각하려는 사람들도 있다. 그러나 이러한 놀라운 발전 속에서 물질적 구조와 우리의 감각으로 알 수 없는 더 높고 다른 우주와의 접촉을 인식하는 사람들도 있다. 그 우주는 물리학과 화학에 지배되지 않지만, 자신의 목적을 위해 물질의 상호작용을 이용한다. 그 우주는 인간 정신이 이 일시적인 원자 배열보다 더 익숙한 곳이며, 이 행성 - 아니, 전체 태양계가 자신의 운명을 다하고 차갑고 생명 없는 상태로 끝없는 여정을 떠난 후에도 무한한 발전, 고귀한 성찰, 숭고한 기쁨을 누릴 수 있는 우주이다."

이러한 생명에 대한 개념은 인류의 기원에 대한 옛 대중적 견해와는 매우 멀리 떨어져 있지만, 과학과 종교를 완벽하게 조화시켜 인간의 진화를 이해하고 그렇지 않으면 이해할 수 없는 삶의 사실들을 설명할 수 있게 한다.

영혼의 선재성(pre-existence. 先在性)은 초기 기독교 시대에 널리 가르쳐지고 받아들여졌다. 우리가 진화론을 받아들이고 유물론자가 아니라면, 영혼의 선재성을 믿는 것에서 벗어날 수 없다. 사실, 심지어 유물론조차도 우리가 인간이라고 부르는 개별화된 의식의 선재성을 받아들여야 할 필요성에서 벗어날 수 없다.

갓 태어난 인간의 아기를 생각해보자. 이 아기는 어디서 왔으며, 법과 질서의 우주에서 어떻게 설명될 수 있을까? 일단 물리적 측면에서 이해할 수 있다. 태아의 작은 몸은 몇 달간의 태아 발달 과정을 거친 물리적 원자들의 집합체다. 그러나 그 정신, 의식, 감정은 어떻게 설명할 수 있을까? 보통 사람들은 하나님이 그것들을 만들었으며 그것들이 영혼을 구성한다고 답한다. 그러나 그것들은 어떻게, 언제 '만들어졌을까요'? 이 아기의 물질적인 부분조차 기적적으로 즉각적으로 존재하게 된 것이 아니다. 그렇다면 영혼이 그렇게 되었을 가능성은 더욱 적다. "하나님이 만들었다"고 말해도 아무것도 설명되지 않는다. 그러나 영혼이 어떻게 존재하게 되었는지를 이해하기 위해 하나님이 영혼을 창조했다는 것을 부정할 필요는 없다. 단지 그 창조 과정이 진화적이었다고 말하면 된다. 지구가 진화를 통해 창조되었다는 것을 부정하는 사람은 없지만, 그 진화 과정에 신적 지능이 개입했는지에 대해서는 의견이 다를 수 있다. 동일한 원리가 인간의 지능에도 적용되어야 한다.

로지 경은 해켈(Haeckel)의 유물론 철학을 담은 저서 '우주의 수수께끼'에 대한 반박으로 '생명과 물질'을 썼다. 그러나 로지는 단순히 해켈의 전제를 무너뜨리고 그의 이론을 지지할 과학적 근거를 없애는 것에 그치지 않았다. 이 영국 과학자는 과학적 유물론자가 답하지 않았고 답할 수 없는 질문들을 제기했다. 그는 유물론자의 철학이 "불과 몇십 년 만에 완전한 개체를 만들어내는 놀라운 발전 속도"를 설명하지 못한다고 지적한다.

이 문장으로 로지 경은 과학적 유물론자를 말문이 막히게 만든다. 모든 과학자들은 진화론자이기 때문에 "놀라운 발전 속도"를 진화의 법칙으로 설명하는 것은 불가능하다. 어떤 것의 진화 연대가 그 복잡성에 따라 달라진다는 것은 잘 알려져 있다. 단순한 형태는 비교적 젊은 반면, 복잡한 형태는 오랜 진화의 역사를 가지고 있다. 지구는 인간에 비해 단순하다. 그렇다면 지구가 현재 단계로 진화하는 데 오랜 시간이 걸렸다면, 지구에 사는 인간의 복잡한 정신적, 감정적 특성은 얼마나 오랜 시간이 걸렸을까? 이렇게 해서 로지 경은 해켈의 전제를 이용해 그의 이론을 무너뜨린다. 그는 사실상 해켈에게 "당신의 철학은, 유아의 빈약한 마음이 30년 또는 40년 만에 철학자의 천재성으로 진화할 수 있는 방법을 설명하지 못합니다"라고 말하는 셈이다. 다시 말해, 만약 유아가 우리가 보는 형태에 불과하다면, 그 물질 덩어리가 몇 년 만에 높은 수준의 지능으로 진화할 수 있다는 것은 터무니없는 일이다.

갓 태어난 아기를 보라. 그 얼굴을 관찰해보라. 호박 표면에서 지능의 징후를 찾는 것이 더 나을 수도 있다. 하지만 조금만 기다리면 지능뿐만 아니라 가장 높은 수준의 생명체만이 가질 수 있는 감정의 증거를 보게 될 것이다. 이는 분명 단순한 물질 원자의 덩어리에서 짧은 시간 내에 진화한 것이 아니다. 이런 이론은 과학적 유물론자가 비웃는 기적적인 창조에 대한 대중의 믿음만큼이나 비과학적일 것이다. 유아의 빈약한 마음에서 성인의 지적 능력으로의 빠른 변화는 무엇인가가 창조되는 것이 아니라, 이미 존재하던 것이 가시적으로 표현되는 것이다. 수천 년의 진화를 통해 형성된 영혼, 의식, 진정한 인간, 즉 정신적 및 감정적 본질 전체가 다시 태어나 물질적 몸으로 가시적으로 표현되는 것이다.

몸은 물론, 오래된 영혼의 새로운 물리적 도구에 불과하다. 마치 바이올린이 음악가의 표현을 위한 도구이자 매개체인 것처럼. 우리의 물질주의적 개념은 매 순간 우리를 오도하고 자연의 진리를 인식하지 못하게 한다. 우리가 몸을 실제로 사람이라고 생각하기 때문에, 오래된 영혼이 유아의 몸에 들어갔다는 것이 믿기지 않는 것이다. 우리는 오래된 영혼의 능력과 지능을 생각하고 아기를 보면서 그런 것들의 흔적을 찾지 못한다. 하지만 그것은 단지 아기의 몸이 너무 새롭고 미발달된 도구이기 때문에 처음에는 쓸모가 없고 천천히 영혼의 통제를 받아 지능과 능력을 표현할 수 있기 때문이다. 몸은 성장하는 도구이지, 완성된 것이 아니다.

악기가 물리적 신체처럼 성장한다고 가정해 보자. 피아노가 아기처럼 키가 없는 시기가 있다고 가정해 보자. 소리판이 미성숙한 시기가 있고, 악기의 전체 메커니즘이 유아기라고 할 수 있는 상태에 있다고 가정해 보자. 만약 명장 음악가가 그런 피아노로 연주를 시도한다면, 그의 연주는 결코 그의 능력을 나타내지 못할 것이다. 연주를 들을 수는 있지만 음악가를 볼 수 없는 유능한 비평가는 당장에 아무리 훌륭한 음악가도 그 건반을 치지 않았다고 선언할 것이다. 이는 우리가 유아의 미성숙한 몸이 오래된 영혼의 지적 능력을 표현할 수 있다고 가정하는 것과 같은 실수다. 또는 단지 물리적 증거가 없다는 이유로 돌아온 오래된 영혼이 유아의 몸을 차지하고 있다는 것을 부인하는 것과 같다. 피아노가 서서히 성숙해 간다면, 악기가 성숙했을 때만 명장 음악가는 자신의 기술을 실질적으로 보여줄 수 있을 것이며, 물리적 몸이 성숙했을 때만 그 몸을 사용하는 영혼이 완전히 자신을 표현할 수 있을 것이다.

초기 몇 년 동안 영혼은 육체를 통해 아주 부분적으로만 표현된다. 의식이 물질세계에 들어오는 과정은 느리고 점진적이다. 이는 마치 식물이 자라는 과정과 비슷하지만, 식물과 인간의 몸은 매우 다르기 때문에 이 비유는 적절하지 않다. 의식이 물질적 차원에서 서서히 깨어나는 것에 대한 물질적 등가는 찾기 어렵다. 출생 약 4개월 반 전부터 시작하여 몇 년 동안 영혼, 또는 의식은 물질세계에 정착하는 과정을 거친다.

오랫동안 의식의 중심은 물질적 차원 위에 머물며, 어린 시절 동안 의식은 천체와 물질세계 사이에 나뉘어 있어, 아이는 종종 혼란스러워하며 천체 의식의 단편들을 물질적 삶으로 가져오기도 한다. 아이가 약 7세가 되었을 때, 의식은 물질적 평면에 중심을 두게 되지만, 영혼의 새로운 도구인 육체와 뇌가 성숙해야만 완전한 표현의 기회가 주어진다.

영혼의 선재(先在)와 윤회에 대한 생각과 관련된 어려움 중 일부는 영혼이 의식의 중심이라는 사실을 잊지 않는다면 사라질 것이다. 영혼은 항상 어딘가에서 의식 상태에 있으며, 매우 점진적으로 한 차원에서 다른 차원으로 초점이 이동한다. 영혼의 영구적인 거처는 천계 고차원에서 자아를 둘러싼 희미한 물질의 몸이다. 그 지점에서 에너지를 외부로 보내고, 하위 정신계에서 영구적이지 않은 의식의 몸, 즉 일정 기간 그 차원에서 기능할 수 있는 몸을 형성한다. 다시 아래로 에너지를 보내어, 의식의 중심 주위에 아스트랄 물질로 된 일시적인 몸을 형성한다. 이 일시적인 몸은 물리적인 몸이 일시적인 것과 같은 의미로 일시적이며, 물리적 세계에서의 삶 동안과 그 이후에도 한동안 의식을 위해 기능할 것이다. 더 나아가, 혹은 더 낮은 차원으로 영혼은 에너지를 보내어 물질세계에 도달하게 되면, 영혼은 유아기의 물리적 몸을 통해 부분적으로, 그리고 매우 약하게 기능하기 시작한다.

현재 영혼의 진화는 물리적 차원에서 이루어지며, 여기서 특정한 교훈을 배워야 한다. 어린 시절이 끝나면 의식은 이곳에 단단히 고정되어,

깨어 있는 동안 주요 작업을 수행하게 된다. 수면 중에는 자아가 일시적으로 물리적 몸을 내려놓고 아스트랄 세계에서 아스트랄체로 기능한다. 이때 육체는 몸은 영혼과 자기적으로 연결된 채, 영혼의 귀환을 기다리는 버려진 빈 껍데기에 불과하다.

어린 시절, 청년기, 성숙기, 노년기를 거치면서, 영혼은 이곳에서 다양한 복잡한 경험을 하게 된다. 다른 영혼들도 물리적 몸을 통해 기능하며, 다양한 관계가 형성된다. 사회적, 사업적, 종교적, 정치적 활동의 복잡한 상황 속에서 영혼은 풍부하고 다양한 경험을 쌓는다. 결국 물리적 몸의 죽음으로 그 장이 닫힌다. 이러한 경험의 수집이 중단되는 이유는 영혼이 물리적 세계의 모든 지식을 습득했기 때문이 아니라, 이곳에서 의식의 도구로 사용된 몸이 소멸했기 때문이다.

죽음은 영혼을 물리적 차원과 단절시키고, 의식의 중심은 아스트랄 차원으로 이동한다. 이전 장에서 설명한 것처럼, 여기서 정화 과정이 진행된다. 이 과정이 진행됨에 따라 영혼은 점차 각 등급의 아스트랄 물질로부터 자유로워지고, 각 등급을 잃을 때마다 더 높은 차원에서 의식하게 된다. 물리적 몸은 갑자기 사라지지만, 아스트랄 몸의 물질은 점차 소멸하여 결국 영혼은 아스트랄 세계와의 연결도 잃는다. 이는 의식의 중심이 정신계 또는 천계로 이동했음을 의미하며, 여기서 사람은 하위 차원에서 기능하게 된다.

정신계에서 정신 물질을 통해 기능하는 동안 매우 중요한 과정이 진행된다. 천계의 삶은 경험을 동화하는 수확의 시기다. 그곳에서 의식은 삶의 경험을 깊이 숙고하며, 이를 통해 미래의 더 큰 표현을 위한 능력과 힘으로 변환되는 본질을 추출한다. 이렇게 해서 영혼은 오랜 진화를 통해 지혜와 힘을 키워간다.

천계에서의 삶이 끝나고 경험의 수확이 완료되었을 때, 그 순수한 본질은 영속적인 인과체에 내재된다. 이때 정신체는 아스트랄체처럼 완전히 소멸한다. 진화 학교에서의 하루가 끝나면서 물리적, 아스트랄 및 정신체 모두 사라진다. 남는 것은 영속하는 인과체를 통해 기능하는 영혼, 즉 진정한 자아, 에고뿐이다. 그러면 에고는 다시 힘을 외부로 보내어 환생을 향한 첫 활동을 시작한다. 먼저 정신계의 하위 차원의 물질을 끌어들여 새로운 정신체를 형성하고, 그다음 아스트랄계에서 새로운 아스트랄체를 확보한다. 마지막으로 물리계에서 형성 중인 또 다른 유아의 몸을 차지하여 적절한 시기에 다시 태어난다.

영혼이 연속적인 육체를 통해 나타나는 기간은 매우 다양하며 여러 요인에 따라 달라진다. 아스트랄계에서 보내는 시간에 대해서는 이미 논의된 바 있다. 천계에서 보내는 시간은 육체적 삶과 아스트랄 삶 동안 생성된 정신적, 도덕적 힘에 따라 결정된다. 만약 경험의 수확이 많다면 이를 변환하는 데 더 오랜 시간이 필요할 것이며, 반대로 생각과 사랑이 적은 사람은 그곳에서 보내는 시간이 짧을 것이다. 이는 마음과 머리의 힘이 정신계에서 절정에 이르기 때문이다. 이 문제는 다소 복잡하며 천계에서의 삶의 강도 등 다른 요인들도 작용한다. 일반적으로 말하자면, 보통의 지적인 사람의 천계에서의 삶은 그의 육체적 삶과 아스트랄 삶을 합친 기간의 몇 배가 될 것이다. 어떤 사람들은 환생 사이에 2~3백 년을 보내기도 하고, 다른 사람들은 6~7세기 혹은 그 이상의 기간을 보내기도 한다.

환생, 즉 재탄생의 주제를 올바르게 이해하기 위해서는 영혼, 즉 개별화된 의식의 중심이 인간이며 육체는 단지 몇 년 동안 사용하는 도구에 불과하다는 사실을 염두에 두어야 한다. 인과체는 인간 진화 전체에서 그의 영구적인 몸이며, 정신계는 그의 본래 차원이다. 그곳에서 그는 자신을 낮은 차원으로 연속적으로 표현한다. 이러한 사실을 고려하면 개인의 연속적인 인격들에 대해 혼란이 없어야 한다. 그러나 때때로 사람들은 한 사람이 한 번의 환생에서는 한 인물이고, 다음 환생에서는 다른 인물이 되는 것이 터무니없다고 말하곤 한다. 물론 그런 일은 일어나지 않는다. 개인은 영원히 동일한 개인으로 남는다. "하지만," 비평가는 반박한다. "내가 600년 전 영국에서 존스 씨였다면, 지금은 분명히 미국에서 브라운 씨인 나는 두 개의 개별적인 인물인 것이 아닌가요?" 물론 그렇지 않다.

이는 두 개의 개별적인 인격체가 존재하는 경우가 아니다. 한 인격체가 600년 전 영국에서 물리적인 몸을 통해 표현되었고, 그 후 죽음을 맞이한 뒤 오랜 기간을 아스트랄 차원과 천계에서 보냈으며, 현재는 미국에서 또 다른 물리적인 몸을 통해 표현되고 있는 경우다. 질문자의 혼란은 물리적인 몸을 사람 자체로 생각하는 데에서 비롯되는 것이다. 그러나 물리적인 몸은 그가 입고 있는 옷처럼 그 사람 자체가 아니다. 한 시기에 그는 존스로 알려졌고, 다른 시기에는 브라운으로 알려졌지만, 이는 도망 중인 범죄자가 가명을 사용하는 것이 그의 정체성을 바꾸지 않는 것과 같은 원리다. 이름은 물리적인 몸 또는 인격에만 적용되며, 개별적인 인격체와는 구별된다. 그 몸은 단지 영혼의 일시적인 옷에 불과하다.

만약 사람의 이름이 그의 옷에 적용되고, 옷이 바뀔 때마다 이름이 바뀐다고 가정해 보자. 그러면 여름에는 그를 '밝은 옷을 입은 사람', 겨울에는 '어두운 옷을 입은 사람'으로 알게 될 것이다. 하지만 옷이나 이름이 바뀐다고 해서 그 사람이 다른 사람이 되는 것은 아니다. 대부분의 여성은 이름이 바뀐다. 어떤 남자가 어떤 여자를 미스 스미스라고 알고 있을 때, 그 여자가 소녀였을 때는 아무런 관심도 없고 삶에 대해 진지하게 생각하지도 않았을 수 있다. 20년 후 그녀는 사려 깊은 아내이자 아이들의 어머니인 브라운 부인이 될 수 있다. 이름도 바뀌고 성격도 크게 변했지만 그녀는 여전히 같은 사람이다.

어떤 사람이 유년기에서 노년기로 변화하는 정도는 한 생에서 다음 생으로 변화하는 정도만큼 클 수 있다. 예술가였던 20세 청년과 70세에 이르러 40년 동안 과학 연구에 몰두한 같은 인격체 사이의 차이는 매우 클 수 있지만, 그 개별성은 동일하다. 이는 빠르게 진화하고 크게 발전한 결과이며, 반복되는 환생을 통해 영혼에 일어나는 일도 마찬가지다. 끊임없는 환생을 통해 영원한 개별성의 진화적 발전이 이루어진다.

영혼이 진화하는 환생 과정은 어린 신체가 성장하는 과정과 유사하다. 이 과정은 객관적 활동과 주관적 활동이 교대로 일어나는 것으로 구성된다. 어린아이의 몸은 어떻게 자라나? 음식을 섭취하는 객관적 활동이 있고, 이를 소화하고 흡수하는 주관적 활동이 있다. 이 두 과정이 교대로 일어나지 않으면 성장할 수 없다. 한쪽만으로는 완전한 과정이 될 수 없다. 하나는 다른 하나를 보완하는 역할을 한다. 영혼의 진화도 환생을 통해 이와 같은 방식으로 이루어진다. 삶의 경험이 영혼이 성장하는 데 필요한 음식이다. 물리적인 삶의 단계는 음식을 모으는 객관적인 기간이다. 사람이 죽으면 보이지 않는 영역으로 넘어가 주관적인 과정을 거친다. 그는 자신의 경험을 소화하고 흡수하며, 그 핵심은 인과체에 저장된다. 이 성장은 어린아이의 신체적 성장처럼 실제로 크기가 증가하는 것을 포함한다.

정신적 성장과 도덕적 성장은 우리의 일상적인 활동에서 작용하는 것과 동일한 법칙에 의해 이루어진다. 한 청년이 대학에 다닌다고 가정해 보자. 그의 지적 성장은 어떻게 이루어질까? 객관적 활동과 주관적 활동이 교대로 일어나는 동일한 과정에 의해 이루어진다. 교실에서 교수는 칠판에 수학 문제를 제시하고 설명한다. 학생은 시각과 청각 같은 외부 감각을 통해, 연필과 노트북을 이용하여 지적 성장을 위한 양분을 모은다. 이 객관적 활동의 기간이 끝나면 그는 자신의 방으로 돌아가 주관적 활동을 시작한다. 그는 문제를 깊이 생각한다. 지적 성장을 위한 양분은 몇 가지 노트에 불과하지만, 이는 경험을 마음속에 유지하는 데 도움이 된다. 처음에는 그 의미가 명확하지 않지만, 여러 가지 점을 반복해서 생각할수록 그 의미는 점점 더 명확해지고 풍부해진다. 이것이 주관적인 소화 과정이다. 조금씩 학생의 마음속에 새로운 깨달음이 떠오른다. 마침내 그는 수학 원리를 완전히 이해하게 되며, 이로써 소화 과정이 끝난다. 이 주관적인 기간은 객관적인 기간의 보완물이며, 이 두 과정이 교대로 일어나지 않으면 지적 성장은 멈추게 된다. 소화와 흡수의 과정이 끝나면 학생은 더 많은 지적 양분을 얻기 위해 다시 교실로 돌아가야 한다. 그리고 앞서 배운 내용을 소화했기 때문에 더 높은 수준의 어려운 내용을 배울 수 있다. 환생하는 영혼도 마찬가지다. 환생 사이 동안 영혼은 이전 물리적 삶의 경험을 완전히 흡수하여, 다시 태어날 때 더 높은 수준의 어려운 교훈을 배울 수 있는 능력을 갖추게 된다.

식사를 통한 신체적 성장과 교육을 통한 정신적 성장 모두에서 객관적 활동과 주관적 활동의 교대라는 법칙을 피할 수 없다. 아이가 식사를 소화하고 흡수한 후에는 다시 음식을 섭취하기 위해 식탁으로 돌아가는 것 외에 다른 선택지가 없다. 학생이 주어진 수업을 소화하고 흡수한 후에 추가적인 지적 성장을 위해서는 더 많은 자료를 얻기 위해 다시 교실로 돌아가는 것 외에 다른 방법이 없다. 인간의 영혼이 잠재된 능력과 가능성을 발전시키는 과정도 마찬가지다. 영혼이 환생을 통해 물리적 삶으로 돌아오는 순환적인 길 외에는 앞으로 나아갈 다른 길이 없다. 그러나 이 과정은 항상 이전보다 더 높은 수준에서 이루어진다. 아이가 더 많은 음식을 얻기 위해 식탁으로 돌아가는 배고픔은 영혼이 다시 태어나기 위해 감각적 표현을 갈망하는 것과 유사하다.

이러한 주기적 운동은 자연의 경제에서 어디서나 발견된다. 자연의 모든 진화적 표현은 주기적이다. 그러나 이러한 주기적 운동은 닫힌 원이 아니다. 그것은 나선형을 나타낸다. 영혼이 오르는 '진화의 사다리'는 구불구불한 계단이다. 상승하는 과정에서 여러 번 돌아가지만, 항상 올라가며 절대 같은 지점으로 돌아오지 않는다. 천계에서 시작해 아스트랄계를 거쳐 물질계로, 다시 아스트랄계를 거쳐 천상의 세계로 돌아오는 이 여정의 각 주기에서, 영혼은 이전에 도달했던 것보다 더 높은 지점, 또는 더 높은 상태의 발전에 도달한다. 각 환생은 더 많은 경험을 수확할 수 있는 능력을 갖추게 하며, 천계로 돌아갈 때마다 경험을 소화하고 이해하는 능력이 더 커지며, 자신의 본래 차원의 실체를 더 많이 이해하게 된다.

이 물질계, 아스트랄계, 정신계를 통한 주기적 순환은 인간의 마음이 처음 깨어났을 때부터 시작된 영혼의 지속적인 진보적 여정이다. 이는 완전한 정신적, 도덕적 존재가 될 때까지 계속될 것이다. 각 환생에서 그는 자신의 경각심과 이전 생애가 만들어낸 기회에 비례하여 경험을 쌓는다. 그는 다른 사람을 돕는 법, 동정심을 갖는 법, 관용하는 법을 배운다. 이러한 활동은 아스트랄계에서 그에게 즐거움을 주고, 정신계 또는 천계에서 기쁨과 지혜를 준다. 그러나 그는 또한 악한 일을 하기도 한다. 원수를 만들고, 증오를 생성하며, 다른 사람을 해치기도 한다. 이는 아스트랄계에서 그에게 고통을 주고, 천계에서는 영혼의 성장이나 일반적인 진보에 아무런 결과를 주지 않는다. 만약 그가 선과 악을 똑같이 행한다면, 그의 진보는 더딜 것이다. 만약 그가 많은 선을 행하고 적은 악을 행한다면, 그의 진보는 빠르고 그의 존재는 행복할 것이다. 만약 그가 큰 에너지를 가지고 있으면서 도덕적 발전이 부족하고 이기적으로 많은 악을 행한다면, 그는 아스트랄계에서 많은 고통을 겪을 것이다.

초급 신지학을 공부하는 학생들은 영혼이 아스트랄 차원의 정화를 거쳐 천계로 올라가지만, 다시 환생하여 또다시 아스트랄 정화를 겪는다는 말을 듣고 종종 혼란스러워한다. 왜 이미 정화된 영혼이 다시 정화되어야 하는지 묻곤 한다. 아스트랄 반응(reaction)은 각 환생에서 저지른 실수의 결과이다. 우리 각자는 특정 환생에서 잘못된 행동으로 죽음 후에 겪게 될 고통을 만들어낸다. 만약 잘못된 행동을 하지 않았다면, 반응이 있을 수 없다. 사실, 평균적인 선한 사람은 아스트랄 차원에서 행복한 삶을 누리며 곧 천계로 올라간다. 반면에 악행을 저지른 사람은 자신의 악행에 대한 고통만을 겪는다. 예를 들어, 그가 살인을 저질렀다면, 그가 생성한 악한 힘의 반응이 끝나고 천계로 넘어가게 되면, 이는 그가 더 이상 악을 저지를 수 없다는 것을 의미하는 것이 아니다. 단지 그가 생명을 빼앗는 것이 매우 어리석은 일이라는 교훈을 철저히 배웠음을 의미한다. 그러나 그가 배우지 못한 많은 다른 교훈이 있다. 그는 천계로 들어갈 때, 모든 악을 남겨두고 떠난다. 이는 마치 신전에 들어가기 위해 신발을 벗는 것과 같다. 아스트랄체는 육체와 마찬가지로 소멸하며, 해방된 영혼이 천계로 들어간다. 그러나 환생을 위해 아스트랄 차원을 통해 돌아올 때, 그는 다시 아스트랄 물질로 감싸이며 이 새로운 아스트랄 신체는 그의 진화에서의 성취를 정확히 나타낸다. 다음 환생에서는 다른 물리적 경험을 통해 다른 교훈을 배우게 된다. 아마도 다음번에는 살인을 저지르지 않겠지만, 사기나 절도, 또는 술주정뱅이가 될 수도 있다. 이러한 잘못들은 그가 다음 아스트랄 삶에서 반응으로 겪게 될 것이다. 미래의 환생에서는 절제력을 가지고 사기나 절도를 저지르지 않겠지만, 아마도 험담을 일삼아 많은 해를 끼칠 수도 있다. 이는 다시 고통을 초래할 것이다. 이렇게 시간이 흐르면서 그는 더 이상 어떤 악한 힘도 생성하지 않고, 모든 사람에게 선의와 도움을 베풀며 살아가는 법을 배우게 된다. 그러면 그의 진보는 매우 빨라질 것이며, 모든 차원에서의 삶이 행복해지고 인간 진화의 고통스러운 부분은 끝나게 될 것이다.

진화의 목적은 진화의 사실만큼이나 분명하다. 진화는 잠재된 것이

활성화되고 내면의 삶이 외부 형태로 점점 더 완전하게 표현되는 과정이다. 형태의 발전과 개선은 펼쳐지는 삶의 필요에 따라 진행된다. 동물계의 가장 낮은 수준에서는 형태가 단지 하나의 세포에 불과하다. 그러나 생명이 점점 더 충만하게 표현됨에 따라, 이동을 위한 팔다리와, 때가 되면 청각과 시각 등의 기관과 발달하는 의식의 다른 메커니즘이 진화한다. 인간계에서는 의식의 매개체가 가능한 최고의 형태에 도달한 후, 진화는 신체 형태의 완성을 향해 계속된다. 신체의 물질을 끊임없이 변화시키는 과정에서 뇌는 지속적으로 개선될 수 있으며, 신체 전체가 점점 더 민감해지고 내부의 진화하는 삶을 더 잘 표현하게 된다. 각 환생에서 신체는 이렇게 개선된다. 삶과 형태의 진화는 함께 진행된다. 궁극적으로 형태의 완전함과 지적, 도덕적 완전함이 달성되면 인간의 진화는 완성될 것이다.

따라서 진화의 목적은 분명하다. 인간은 신이 되기 위한 과정에 있는 존재이다. 실제로 신이 아니라 잠재적으로 신이 될 수 있는 존재로서, 모든 지혜와 완전한 자비, 무한한 힘을 가질 가능성이 있다. 진화 과정을 통해 인간은 잠재된 것을 활성화된 것으로 바꾼다. 처음에는 전체 의식 내에서 개별화된 의식의 중심, 신성한 생명의 한 조각에 불과하다. 그와 신과의 관계는 씨앗과 식물의 관계와 비슷하다. 씨앗은 식물의 특징과 식물이 될 수 있는 힘을 잠재적으로 가지고 있지만, 아직 식물은 아니다. 인간도 마찬가지로 신은 아니지만, 싹을 틔우고 땅에 뿌리를 내리면 식물이 되는 과정에 있다. 인간이 자신의 잠재된 영적 특성을 발전시키기 시작할 때, 그는 신이 되는 과정에 있는 것이다. 신지학적 관점에서 인간은 본질적으로 신적인 존재이다.

비평가들은 종종 인간이 원래 신성하다면 왜 진화 과정을 거쳐야 하는지 묻는다. 여기서 신성은 인간의 본질적인 특성을 나타내며, 지식이나 힘, 어떤 정도의 영적 완전함을 소유하고 있음을 의미하는 것이 아니다. 이는 마치 위대한 왕의 갓난 아들이 왕족이라고 말하는 것과 같다. "왕족"이라는 단어는 "신성"이라는 단어처럼 관계를 나타낸다. 왕족 아기는 왕이 아니다. 그러나 그는 왕이 될 과정에 있다. 그는 많은 것을 배워야 한다. 국정 운영에 대해 교육받아야 하고 외교술을 발전시켜야 한다. 많은 경험과 발전을 거친 후, 그는 결국 왕국을 통치할 능력을 갖추게 될 것이다. 현재 이 무력한 아기는 왕과 거의 닮지 않았다. 그럼에도 불구하고, 태어난 날 그는 이미 왕족이었다. 같은 의미에서 인간의 신성은 현재의 명백한 사실보다는 잠재적 가능성을 나타낸다. 인간은 아기 신이며, 시간이 지나면서 현재의 제한된 의식으로는 이해할 수 없는 능력과 힘을 발전시킬 것이다. 인간은 짧은 생을 살며 불멸을 잠시 엿보고 사라지는 일시적인 존재가 아니라, 살아있는 신의 불멸의 아들로서 신성한 권리로 영원의 길을 걷는 존재이다.

일부 사람들은 진화를 당연하게 받아들이는 경향이 있지만, 인류가 실제로 진화적 진보를 이루었다는 사실은 인정하지 않으려는 것처럼 보인다. 심지어 과학자들조차도 세상이 과연 나아지고 있는지 의문을 제기하곤 한다. 몇 년 전 한 영국 과학자가 신문 인터뷰에서 인류가 기록된 역사 속 어느 시대보다 지금도 여전히 사악하다고 말한 적이 있다. 그러나 만약 그가 정확히 보도되었다면, 이는 조금만 더 숙고했더라면 수정했을 성급한 의견 표현이었을 것이다. 물론 현재도 상황은 여전히 나쁘지만, 몇 세기 전보다는 확실히 훨씬 나아졌다. 세상이 범죄와 폭력으로 가득 차 있다는 말은 아무것도 증명하지 못한다. 심지어 문명국이 전쟁 동안 야만적인 행동으로 돌아갔다고 해도 비관적인 시각을 정당화하지는 못한다. 도덕적 진보를 판단할 때는 집단적 양심을 기준으로 삼아야 한다. 오늘날의 세계가 전쟁을 어떻게 바라보는지, 그리고 카이사르(Caesar) 시대의 세계가 전쟁을 어떻게 바라보았는지를 비교해보아야 한다. 지금 우리에게 충격을 주는 많은 것들이 있지만, 충격을 준다는 사실 자체가 도덕적 진보의 가장 좋은 증거다. 몇 세기 전에는 잔혹한 행위가 당연하게 받아들여졌지만, 이제는 드문 예외이며, 그런 행위를 저지른 사람들은 국제적으로 비난받기 쉽다. 기록된 역사 속에서도 포로를 평생 노예로 삼는 관습이 있었지만, 이제는 그들을 먹이고 입히며 전쟁이 끝난 후 고향으로 돌려보내는 것이 일반적이다. 공공 스포츠와 같은 단순한 것들도 공공의 도덕성을 측정하는 척도로 사용될 수 있다. 이는 집단적 양심이 무엇을 승인하는지를 보여준다. 오늘날에는 공공 스포츠에서 잔혹함이 거의 찾아볼 수 없다. 전문 복싱(Professional pugilism)은 여전히 존재하지만, 가장 진보된 국가들에서는 거의 사라졌다. 스페인과 멕시코 같은 덜 진보된 국가에서는 투우가 인기를 끌고 있다. 이는 현대 대중오락에 대해 우리가 할 수 있는 비판은 여기까지다. 그러나 로마 시대를 돌아보면, 공공 스포츠에서의 잔혹함이 비교할 수 없을 만큼 충격적이다. 검투사들은 죽을 때까지 싸워야 했고, 죄수들은 굶주린 야수들에게 먹이로 던져졌으며, 이는 로마인들에게는 하나의 축제였다. 이러한 "스포츠"는 오늘날 세계 어디에서도 상상할 수 없는 일이다. 그러나 당시에는 세계 최고의 제국에서 당연하게 여겨지던 일들이었다. 인류가 도덕적으로 진화했고, 집단적 양심이 과거보다 높은 도덕적 기준을 가지고 있다는 사실은 너무나 명백하여 논쟁의 여지가 없다.

그렇다면 이러한 진화적 발전은 어떻게 설명할 수 있을까? 기독교가 그 변화를 이끌었다고 말하는 것은 적절하지 않다. 왜냐하면, 그리스도의 가르침이 훌륭함에도 불구하고, 세계는 그것을 받아들이고 문명을 그에 맞추어 형성하지 않았기 때문이다. 만약 그랬더라면 세계 대전은 일어나지 않았을 것이다. 이른바 기독교 국가들은 역사 내내 상업적 이익을 두고 다투고 싸워왔으며, 계급 간의 갈등이 존재해왔다. 개인의 자유나 경제적 개선에서의 모든 진전은 다른 사람들의 불행을 통해 이익을 얻은 자들로부터 힘으로 쟁취해낸 것이다. 다시 말해, 종교가 가져와야 할 특정한 개선들은 자발적으로 이루어진 것이 아니라 강제로 이루어진 것이다. 모든 종교적 가르침이 도움이 되긴 하지만, 기독교의 영향을 아무리 합리적으로 고려하더라도, 우리는 여전히 그리스도의 도래 훨씬 이전부터 꾸준히 이어져 온 인류의 공통된 양심의 변화, 즉 진화적 성장을 설명할 수 없다. 그렇다면 이것을 어떻게 설명할 수 있을까?

윤회론이 타당하다면, 인류의 도덕적 진보는 간단하게 설명될 수 있다. 로마가 세계의 지배자였던 시절, 문명화된 국가를 구성했던 대부분의 영혼들은 그 이후 여러 번의 환생을 겪었으며, 매번 천상계에서 다른 사람들에게 가한 잔혹함의 고통스러운 반작용이라는 엄격한 교훈을 받아왔다. 이처럼 자연은 잔인한 사람을 점차 자비로운 사람으로 변화시킨다. 각 환생에서 영혼은 더 인간적이고 더 지적으로 성장한다. 각 환생에서 배운 모든 교훈은 다음 생으로 이어지며, 결국 모든 고통에 완벽한 공감을 갖게 될 때까지 자비심은 계속해서 성장한다. 영혼과 인류의 진보는 환생의 관점에서 이해할 수 있다.

이 가설을 제외하고는 그러한 진화적 진보를 어떻게 설명할 수 있을까? 영혼의 선재를 믿지 않고 영혼이 수정이나 출생 시점에 어떤 방식으로든 생성된다고 믿는 사람들은, 지금의 세계가 로마 시대보다 더 나아진 이유를 신이 지금 더 나은 영혼을 창조하기 때문이라고 말하는 매우 비논리적인 입장에 처하게 된다!

대규모 집단, 부족 또는 국가들이 세기 전 다른 부족이나 국가들이 했던 행동을 모방하거나 거의 똑같이 반복하는 경향은 매우 흔한 현상이다. 이는 역사가 반복된다는 선언을 낳았다. 환생의 사실은 왜 역사가 반복되는지를 설명해준다. 로마인이나 카르타고인과 같은 국가는 끊임없는 교류의 친밀한 관계로 형성된 미묘한 유대에 의해 묶여 있다. 이 집단은 지속되는 경향이 있으며, 그 구성원들은 다음 환생에서도 주로 함께 모인다. 모두가 이전 세기보다 진화했지만, 일반적인 특성과 경향은 남아 있고, 동일한 일반 정책이 국가의 사무를 형성할 가능성이 크다. 큰 집단이나 국가의 존재에서 이전 환경이 더 이상 집단의 집단적 진화를 위한 최적의 환경이 아닌 때가 올 때, 대다수는 다른 곳에서 환생하고, 옛 나라는 점차 다른 집단의 영혼들로 채워진다. 따라서 특정 국가의 사람들이 다른 시기에 크게 다른 이유가 여기에 있다. 카이사르 시대의 로마와 중세 후반의 로마를 비교하거나, 고대 이집트의 위대한 문명과 현대 이집트를 비교해보라. 위대한 국가를 만드는 것은 고급 영혼들이며, 그 나라가 더 이상 그들에게 가르칠 교훈이 없을 때, 또는 다른 나라가 그들의 진보를 위한 더 나은 환경을 제공할 때, 그들은 더 유리한 장소로 다시 태어나고, 다른 영혼들이 버려진 환경을 차지하게 된다. 번성하는 문명을 가진 활기찬 사람들이 살았던 나일강 계곡은 이제 그러한 목적을 제공하지 못한다. 강력한 문명의 중심은 중앙 및 북유럽으로 이동했는데, 이는 오직 그 환경만이 경제 세계의 거대한 상업 흐름과 완전히 접촉하여 목적을 이룰 수 있기 때문이다. 오늘날 세계에서 활기차고 현대적인 영혼들이 이집트에서 태어난다면 무엇을 할 수 있을까? 떠나는 것 외에는 아무것도 할 수 없다. 그래서 그들은 거기서 환생하지 않고, 고립된 나라의 원시적 삶에서 더 단순한 교훈을 배워야 하는 다른 영혼들이 그 버려진 환경을 물려받는다. 개인이 각 환생에서 얻은 새로운 기술과 지혜를 실현할 수 있는 전문적이고 사업적인 환경으로 계속 나아가듯이, 국가도 더 큰 기회로 나아간다. 그리스, 카르타고, 로마의 위대함을 만들었던 영혼들이 이제 유럽과 미국의 위대함을 만들고 있다. 이러한 사실들은 많은 수수께끼를 설명해준다. 예를 들어, 어떻게 세계에서 가장 위대한 문명이 야만적인 민족들로부터 갑자기 유럽에 생겨날 수 있었을까? 로마가 쇠퇴했을 때—로마 사람들은 대부분 다른 곳에서 환생했기 때문에 쇠퇴한 것인데—유럽은 약간 문명화된 무리로 가득 차 있었다. 그 이후 몇 세기 동안, 인류 진화에 필요한 오랜 시간을 무시하고, 지금의 문명이 생겨났다고 가정하는 것은 진화의 기초를 무시하는 것이다. 그러나 고대 영혼들이 더 원시적인 사람들이 세상에 데려올 수 있는 강한 육체에 환생한다는 것을 이해하면, 유럽에서의 위대한 문명의 급속한 부상의 수수께끼는 해결된다.

환생의 원리는 동물 왕국에서도 높은 수준으로 적용된다. 동물 왕국의 진화의 마지막 단계는 의식의 개별화다. 예를 들어, 특히 영리한 고양이나 개는 동물 진화의 마지막 단계를 마치고 인간의 가장 낮은 단계로 환생할 수 있다. 개별화 이전에는 같은 종의 다른 동물들과 함께 집단적으로 진화하며, 완전한 자아 의식에 도달하지 못한 공통된 혼에 의해 움직인다. 이 집단 영혼 단계에서는 각 동물의 경험이 집단 전체의 지식으로 축적된다. 이러한 신지학적 가르침은 자연의 가장 흥미로운 사실 중 하나를 이해하는 데 도움을 주어, 그렇지 않으면 신비로 남을 많은 것들을 설명해준다.

본능은 과학적으로 설명된 적이 없다. 그중 일부는 여전히 신비에 싸여 있다. 왜 어린 야생 동물은 적을 본 적이 없는데도 숨고, 친구는 피하지 않을까? 갓 태어난 메추라기는 작은 돌이나 풀잎을 발톱에 꼭 쥐고 몸을 숨기며, 인간이 접근할 때 완전히 움직이지 않지만, 다람쥐나 토끼가 지나갈 때는 경계하지 않는다. 어린 병아리는 까마귀와 매를 어떻게 구별할까? 그리고 왜 남극과 같은 외딴 지역의 새와 동물들은 사람을 두려워하지 않을까? 집단 영혼은 이러한 현상을 명확하고 간단하게 설명해준다. 가장 어린 개체들도 집단 영혼, 즉 의식의 근원에 연결되어 있어 가장 오래된 개체들의 지식을 공유한다. 이번 시즌의 어린 메추라기들은 이전 시즌에 사람들에게 죽임을 당한 메추라기들의 경험이 축적된 집단 영혼에서 다시 태어나기 때문에 공통의 적을 알고 있다. 남극 같은 외딴 지역에서는 인간의 살해 성향이 알려지지 않아 경고하는 "본능"이 없다.

집단 영혼에 관한 훌륭한 증거 중 하나는 새로운 지역에 전화선이나 전신선을 설치할 때 자주 목격되지만 설명되지 않는 현상으로, 첫해에는 수천 마리의 새들이 전선에 부딪혀 죽지만 다음 해에 태어나는 새들은 현명하게도 전선을 피하는 법을 알고 있다는 사실이다! 만약 집단 영혼이 자연에 존재하지 않는다면, 새들이 전선에 적응하는 데 오랜 시간이 걸렸으며 이렇게 갑작스러운 적응은 불가능했을 것이다.

환생은 시간 낭비나 에너지 손실 없이 지속적인 진화를 나타낸다.

죽음은 일반적인 믿음이 묘사하는 것처럼 인생 프로그램의 갑작스러운 단절이 아니다. 출생에 대한 일반적인 견해가 잘못된 것처럼 죽음에 대한 일반적인 견해도 잘못되었다. 만약 죽음이 대부분의 사람들이 믿는 것처럼 자연의 실수로, 질서 있는 발전을 비합리적으로 중단하는 것이라면, 이는 자연의 경제에서 에너지 보존의 원칙에 어긋난다. 죽음이라는 변화로 인해 에너지가 손실되는 일은 없다. 만약 죽음 이후 우리가 완전히 다른 종류의 존재로 멀리 간다는 일반적인 믿음이 옳다면, 죽음은 엄청난 낭비를 의미하게 될 것이다. 예를 들어, 한 젊은이가 특정 분야, 이를테면 공학, 건축, 또는 정치학을 공부하고 졸업한 후 곧 죽는다면, 그러한 교육에 들인 시간과 에너지는 거의 모두 낭비될 것이다. 하지만 자연은 그렇게 실수를 하지 않는다. 자연의 보존 법칙은 항상 작동한다. 획득한 모든 기술과 지혜는 환생을 통해 다시 돌아와 미래의 화신에서 사용될 것이다.

학교에서 공부하는 아이는 진화하는 영혼에 대한 적절한 비유가 될 수 있다. 아이는 한 학기나 1년 만에 교육을 받을 수 없다. 아이는 정규 방학 후에 자주 같은 학교로 돌아와야 한다. 그는 더 높은 수준의 새로운 교재를 사용할 수 있지만 주기적으로 같은 환경으로 돌아간다. 계속해서 학교에 다니는 것은 한 학기 만에 교육을 끝내는 것만큼이나 생각할 수 없는 일이다. 진화 과정에서도 영혼은 같은 이유로 주기적으로 물리적 세계나 차원으로 돌아온다. 모든 물질적 경험을 얻을 때까지 계속해서 여기에서 사는 것은 불가능하다. 경험을 습득하고 소화하는 이중 과정의 필요성 외에도 육체가 진화에 방해가 될 것이다. 일정한 한계 내에서 물리적 뇌는 성장하는 영혼의 요구에 반응할 수 있지만, 진화를 위해서는 새로운 몸이 절대적으로 요구된다.

평범한 사람이 정신적 및 도덕적 완전성에 도달하기 위해 겪어야 할 진화적 과정을 조금만 생각해 본다면, 단 하나의 생애로는 불가능하다는 것이 명확해진다. 지적 완전성을 잠시 생각해보자. 이는 수학, 음악, 발명, 정치 등 여러 분야에서 천재성을 발휘하는 수준의 지적 발전을 의미한다. 이 모든 지적 성취를 하나의 마음으로 통합한다면, 우리는 비로소 완벽한 지적 인간을 얻을 수 있다. 도덕적 측면에서는 성인의 결합된 덕목을 추가해야 한다. 그렇게 하면 이 세상에서 더 이상 배울 것이 없는 완벽한 인간을 얻을 수 있다. 그의 이후 진화는 초물리적 영역에 속하게 된다.

영혼의 진화를 이해하려면, 야만에서 문명 상태로, 그리고 궁극적으로 완전함에 이르는 과정을 이해하는 것이 중요하다. 이 위대한 작업이 한 번의 삶이라는 작은 주기와 어떻게 일치하는지 관찰해보면 도움이 된다. 역사 속 위대한 인물도 무력한 유아기부터 시작한다. 그는 꾸준히 나아가며 각 단계마다 새로운 능력을 펼쳐 보인다. 그는 초등 교육을 통해 기초 지식을 서서히 습득하고, 그 후에는 더 높은 학문적 성취를 위한 대학 교육으로 이어진다. 그 다음은 전문직에 들어가 점점 더 자율적으로 지적 능력을 사용하기 시작한다. 그리고 공직에 진출하여 점점 더 많은 의무와 책임을 맡는다. 그는 하나의 영예로운 자리에서 다른 자리로 올라가면서 능력과 통달력을 키우고, 마침내 국가의 수장이 되어 세계적인 인물이 된다. 영혼의 진화도 이와 같다. 우리는 삶을 거듭하면서 새로운 힘과 덕목을 발달시키고, 점점 더 많은 기회와 책임을 맡는다. 한 생에서는 용기를 키우는 상황이 주어지고, 다른 생에서는 관용을 기르는 상황에 놓인다. 또 다른 생에서는 인내와 균형을 배운다. 이런 모든 생애에서 우리는 지성을 꾸준히 발전시키고, 이전에 습득한 덕목들을 강화한다. 각 생애에서는 우리의 추가된 능력을 발휘하기 위한 새로운 조건을 만난다. 궁극적으로 신들의 영적 통찰과 성숙한 지혜를 갖추게 되면, 우리는 더 높은 진화의 영역으로 나아간다.

CHAPTER X. 환생: 그 정의

신과 인간의 관계에 대한 견해는 다양하지만, 최고 존재의 속성에 대해서는 일반적으로 합의된 부분이 있다. 대부분의 사람들은 최고 존재에게 무한한 힘, 지혜, 사랑, 그리고 인간에게서 볼 수 있는 모든 바람직한 특성의 완벽함을 부여한다. 신지학적 관점에 따르면, 인간에게서 볼 수 있는 힘, 지혜, 사랑, 정의, 아름다움, 조화 등은 신의 속성의 희미하지만 실질적인 발현이다. 최고 존재의 존재를 부정하는 물질주의자가 아닌 모든 사람은 신의 지혜와 정의가 완벽하다는 데 동의할 것이다. 신의 속성을 제한하거나 조건을 다는 것은 비논리적이고 일관성이 없다. 신은 전지전능하고 완전히 공정하거나, 아니면 물질주의자가 옳다고 할 수밖에 없다. 신이 완벽한 정의를 나타내지 않는다면, 우리는 신을 논할 수 없다.

유물론자를 제외한 모든 사람이 동의해야 할 또 다른 점은, 창조가 인간의 공익을 최선으로 봉사하도록 질서 있게 이루어졌다는 것이다. 우리가 처한 삶의 조건은 인간의 복지를 위해 가장 잘 맞춰져 있다.

만약 그렇지 않다면, 그것은 인간이 자신의 복지를 위해 해야 할 일을 하지 않았기 때문이다. 그렇지 않다면, 전지전능한 신이 지금의 상태로 질서를 잡았다는 주장은 어떻게 될까? 따라서, 사물이 인간의 진정한 이익에 부합하게 되어있고, 우리가 창조에 대해 가지고 있는 관점으로 볼 때 옳지 않거나 공정하지 않은 것을 발견한다면, 우리가 가진 관점이 잘못된 것임이 분명해진다.

일반적인 믿음은 인간이 특별한 창조물이라는 것이다. 아기가 태어날 때마다 신이 그 몸을 위해 영혼이나 의식을 창조하고, 몇 년, 며칠, 몇 분의 삶을 살다가 그 몸이 죽으면 의식이 영원히 먼 곳으로 간다는 것이다. 만약 그 사람이 선한 삶을 살았고 현재의 종교를 믿었다면 "구원"되어 영원히 행복할 것이다. 만약 그가 선한 삶을 살지 않았지만 죽기 전에 "믿음"을 가졌다면, 그는 어쨌든 구원되어 처음부터 올바르게 살아온 것처럼 행복할 것이다. 만약 그가 선한 삶을 살았지만 쉽게 믿음을 가질 수 없었다면, 그는 구원을 받지 못하고 영원히 고통받을 것이다. 이 특별 창조 이론에 따르면, 신은 다양한 종류의 사람들을 만든다. 그들 중 누구도 자신이 창조된 대로 존재하는 것을 피할 수 없다. 어떤 사람은 지혜롭고, 어떤 사람은 어리석다. 구원의 길을 찾을 만큼 영리한 사람들은 결국 원래의 지혜에 천국이 더해질 것이다. 그렇지 않은 사람들은 결국 원래의 무지에 지옥이 더해질 것이다. 이것이 일부 사람들이 신의 정의라고 부르는 것이다!

모두가 결국 끝없는 천국에서 행복하게 될 가능성이 있기 때문에 현재의 불평등이 중요하지 않다고 주장하는 것은 거의 통하지 않을 것이다. 대부분의 신학자들은 인류 전체가 그런 상태에 도달할 것이라는 것을 인정하지 않으며, 비교적 소수의 사람들이 그렇게 믿는다 해도 현재의 정의를 미래의 행복으로 판단할 수 있다고 감히 주장하지 않을 것이다. 우리가 이 물리적 삶이 끝난 후 모두가 영원한 행복을 누릴 것이라는 것을 확실히 안다고 해도, 한 사람이 선천적 범죄자로 태어나고 다른 사람이 시인이나 철학자로 태어나는 것이 어떻게 정당화될 수 있겠는가? 한 사람이 평생 병과 고통, 가난 속에서 태어나고, 다른 사람이 부와 건강한 신체를 물려받는 것이 어떻게 정당화될 수 있을까? 미래의 행복이 현재의 불평등에 대한 보상이 될 수는 없다. 그러나 신이 무한한 힘과 완전한 정의를 대표한다면 왜 이러한 불평등이 존재해야 할까? 만약 신이 영혼을 즉각적으로 창조할 수 있다면, 영혼을 위한 필요한 조건도 확실히 창조할 수 있을 텐데 왜 가난과 질병, 고통이 존재해야 할까? "신이 그렇게 하기를 원했다"는 대답보다 더 나은 답이 있어야 한다. 인간에게 어떤 고난이 기쁘다는 것은 신을 모독하는 것과 다름없다.

어떤 미래의 행복 상태가 현재의 끔찍한 불평등을 정당화할 수 있다고 주장하는 것은, 두 아들을 둔 백만장자가 한 아들에게는 모든 부와 여행, 숙련된 교사와 특별한 보살핌을 주면서 다른 아들에게는 누더기를 입고 굶주리게 하는 것과 비슷하다. 만약 소외된 아들이 왜 자신은 그런 대우를 받는지, 형은 왜 그렇게 철저히 보살핌을 받는지 물으면, 아버지는 약간의 분노와 함께 이렇게 대답할지도 모른다. "너는 미래에 충분히 가질 거야! 내가 죽으면 내 재산은 너와 형에게 똑같이 나눠질 거야. 그때 너도 백만장자가 되어 돈을 다 쓰지도 못할 만큼 많아질 거야. 그러니 지금의 고난에 대해 어리석게 굴지 마라. 신사답게 굶는 법을 배워라!" 이런 상황에서 아버지의 입장은, 천국이 나중에 있을 거라고 생각하면서 현재의 지옥을 정당화하는 사람들의 입장만큼이나 비합리적일 것이다.

이제 우리의 인생에서 혼란을 일으키는 몇 가지 특정한 사실들을 특별 창조론과 환생론이라는 가설로 시험해보고, 어떤 것이 정말로 만족스럽게 설명할 수 있는지 살펴보자. 몇 가지 실제 사례를 들어보겠다. 매사추세츠의 한 감옥에는 우리의 어린 시절에 익숙한 이름을 가진 노인이 있다. 그는 당시 소년 살인자로 알려진 제시 포메로이(Jesse Pomeroy)였다. 지금 세대는 그를 거의 알지 못한다. 하지만 40년 전이나 그 이전에는 모든 신문에서 그에 대해 이야기했다. 놀이 친구들을 살해한 죄로 그는 종신형을 선고받고 감옥에 갇혔다. 왜 포메로이는 어린 시절에 악명 높은 범죄자가 되었을까? 특별 창조론이 옳다면 그는 미래의 천국을 위해 준비되도록 창조되고 세상에 놓였어야 했다. 그러나 그는 도덕적 인식이 결여된 채로 창조되었고, 사회에서 추방되는 행위로 삶을 시작했다. 만약 신이 이 영혼을 우리가 처음 알던 모습대로 창조했다면, 왜 그는 법을 준수하는 시민의 도덕적 균형을 갖추지 못하고 문명

사회에서 평온하게 살다가 죽는 순간 천국에 들어갈 수 있도록 창조되지 않았을까? 그에게 왜 건전하게 사고할 수 없는 뇌와 살인을 환영하는 양심을 주었을까? 이는 필연적으로 범죄자는 왜 창조되는가라는 질문으로 이어진다. 왜 백치가 창조되는가? 삶의 사실을 깊이 들여다볼수록 특별 창조론은 더욱 불만족스럽다. 왜냐하면 우리는 그 이론을 모순적으로 만드는 수많은 것들을 발견하기 때문이다. 만약 신의 목적이 천국을 창조하여 도착한 사람들이 즐기도록 하는 것이라면, 왜 대부분의 인간이 그것을 결코 달성할 수 없도록 창조되는지 알 수 없다. 만약 신이 그들을 태어날 때 창조한다면, 왜 모두가 현명하고 친절하게 창조되지 않는가? 왜 대부분은 인생을 실수로 채우고, 다른 이들에게 불친절이나 잔인함으로 고통을 주며, 결국 실패한 삶을 살다가 그 실패로 인해 영원한 처벌을 받게 되는가? 그런 이론에는 이유도, 정의도, 이성도 없다.

이제 환생의 설명으로 돌아가 보자. 그에 따르면, 포메로이는 과거에 많은 환생을 겪었고 앞으로도 많이 겪을 것이다. 우리 모두와 마찬가지로 그는 원시인에서부터 올라왔다. 우리는 모두 책에서 교훈을 배우는 아이들처럼 경험을 통해 문명 생활의 교훈을 천천히 배워왔다. 대다수는 잘 따라왔고, 삶의 문제를 다루는 데 있어 상당한 지성을 발전시켰으며, 어느 정도의 동정심을 가지게 되었다. 일부는 열심히 공부하는 학생들처럼 빠르게 진화하여 천재로 불리게 되었다. 일부는 뒤처지며 거의 배우지 못했다. 그들은 규칙을 어기고 수업에서 도망친 학교의 무단결석자와 같다. 이 인류의 낙오자들은 우둔자와 범죄자로, 환생을 거듭하면서 너무 천천히 진화하거나 진화가 너무 늦어 현재의 문명사회에 야만적인 특성을 가져온다.

환생은 범죄자가 누구이며 무엇인지 설명할 뿐만 아니라, 특별 창조론이 그에게 위협하는 지옥을 설명해준다. 그가 만든 지옥 외에는 그를 기다리는 지옥은 없다. 인과법칙에 따라 그가 가한 모든 잔혹함과 고통은 그에게 되돌아와 슬픔을 안겨줄 것이지만, 동시에 그의 깨달음을 위한 기회로 작용할 것이다. 다음 생에서는 그의 몸과 그가 살게 될 환경이 이번 생과 이전 생에서의 생각과 감정, 행동에 의해 정확하게 결정될 것이다. 그러므로 그는 자신이 맞지 않는 천국에 갈 수도, 정당하게 받을 자격이 없는 지옥에 갈 수도 없다. 그는 단순히 다른 육체로 다시 태어나 시도할 기회를 얻을 것이지만, 그 시도는 그의 행동이 자초한 조건 하에서 이루어질 것이다.

그렇다면 백치는 어떻게 설명할 수 있을까? 특별 창조론에 따르면 백치를 설명할 수 없다. 신이 정신없는 사람을 창조한다고 믿는 것은 신성 모독이다. 하나의 영혼에게는 이성이 주어지고 다른 영혼에게는 아무 이유 없이 주어지지 않는다면, 이는 인간의 이해를 강요하는 가장 엄청난 불공정이다! 정상인과 백치의 차이를 잠시 생각해 보자. 건전한 정신을 가진 사람은 진보와 정신적, 도덕적 발전의 기회를 가지고 있다. 사업과 직업의 길이 그 앞에 열려 있다. 그는 자신의 능력을 시도하고 성공할 수 있는 자유를 가지고 있다. 부, 권력, 명성 모두 그에게 가능성

있는 것이다. 사회생활의 모든 기쁨을 누릴 수 있다. 가족과 친구들로 둘러싸여 성공적이고 만족스러우며 행복한 그의 모습을 상상해보라. 그리고 백치의 삶을 생각해 보라. 말로 표현할 수 없는 공포의 대조다! 만약 특별 창조론 외에 다른 설명이 없다면, 세상은 미친 집의 희망 없는 지옥으로 변할 것이다. 다시 한번, 환생은 우리를 신성 모독이나 광기로부터 구해준다. 백치는 선천적 장애자처럼 정상인과 단지 육체적으로 다를 뿐이다. 육체의 기형은 그 영혼이 기능하는 도구의 한계다. 이 생에서의 쭈그러든 팔, 곤봉형 발, 기형 등의 신체적 결함은 과거 삶에서 그 영혼이 만든 불행한 원인의 결과다. 백치의 경우, 뇌의 기형이 그 원인이다. 이는 우연이 아니다. 한 신체에 제한이 적게 가해지고 다른 신체에선 정신활동을 방해하여 백치를 만드는 한계가 설정되는 데는 우연의 요소가 없다. 모든 것은 법칙의 정확한 작용이다. 백치의 신체는 과거에 심각한 실수를 저지른 영혼의 물리적 표현이다. 아마도 다른 사람을 잔혹하게 제한함으로써 지성을 잘못 사용한 그 방식이 현재 삶에서 지성을 전혀 사용하지 못하게 만든 것이리라. 하지만 이러한 한계는 외적 차원에 속한다. 형태가 한계를 만들고 형태가 소멸하면 그 한계도 사라진다. 범죄자처럼 백치에게도 지옥이 필요하지 않다. 그는 과거의 실수로 자신만의 지옥을 만들었고, 이번 생에서 그 지옥 속에 살아야 하며 실수를 속죄해야 한다. 어떤 사람들에게는 백치가 정상인의 삶을 인식하지 못하기 때문에 그 상황이 진정한 불행을 나타내지 않는다고 생각할 수도 있다. 하지만 물리적 차원에서의 백치는 영혼의 백치를 의미하지 않는다. 심지어 아스트랄 차원에서도 그 영혼은 평생 동안 그러한 육체로 기능해야 하는 공포를 날카롭게 느낄 수 있다. 마치 여기서 감옥에 갇히는 고통을 느끼는 것처럼 말이다.

범죄자와 바보는 특별 창조론이 삶의 사실들을 만족스럽게 설명하지 못한다는 점을 단적으로 보여준다. 하지만 다른 극단으로 눈을 돌려 세상에서 가장 운이 좋은 사람들에 대해서도 동일한 실패를 발견할 수 있다. 특별 창조 가설에 따르면 무지한 사람으로 태어난 영혼에게는 엄청난 불공정이 가해진다. 반면에 몇 사람 몫의 지능을 가진 사람들도 존재한다. 예를 들어, 맥컬레이는 일곱 살 때 이미 그리스어와 라틴어를 읽고 깊이 있는 수학을 공부하고 있었다는 증거를 자신의 편지에서 보여주고 있다. 어린 시절에 놀라운 재능을 보인 다른 많은 사례가 있지만, 한 가지 사례만으로도 충분하다. 그 사례는 현재에도 살아있는 많은 사람에게 알려져 있는 윌리엄 제임스 시디스의 이야기이다.

매사추세츠 주 브루클라인 출신인 윌리엄 제임스 시디스는 여섯 살 때 초등학교에 입학하여 6개월 만에 7학년 과정을 마쳤다. 일곱 살 때는 수학 공부가 너무 앞서 나가서 아버지인 보리스 시디스 교수도 도와줄 수 없을 정도였다. 그는 가장 난해하고 어려운 문제들을 쉽게 해결하며, 새로운 계산 시스템을 발명해 큰 주목을 받았다. 여덟 살 때 브루클라인 고등학교에 입학하여 6주 만에 수학 과정을 마치고 천문학에 관한 책을 쓰기 시작했다. 그 후 프랑스어, 독일어, 라틴어, 러시아어를 공부했다. 학교를 떠난 후 그는 수학을 전문으로 공부하며 10

대신 12를 기반으로 한 로그 시스템을 발명했다. 이는 여러 유명한 수학자들에 의해 완벽하다고 평가되었다.

그는 하버드 대학교에 입학을 신청했으나 나이가 어리다는 이유로 거절당했다. 다음 해에 다시 시도했지만 같은 이유로 또다시 거절당했다. 그러나 열한 살 때 매사추세츠 공과대학교의 입학시험을 통과했으며, 하버드 의대 입학 자격을 갖춘 것으로 판단되었다. 그는 하버드에서 특별 과정을 시작했는데, 일반 대학 과정은 열한 살 소년의 능력에 비해 너무 낮았기 때문이었다. 하버드의 유명한 심리학자인 제임스 교수는 그를 자신이 알던 가장 뛰어난 정신적 천재라고 평가했다. 이 어린 천재는 일반 아이들이 알파벳을 배울 나이에 셰익스피어의 여러 페이지를 암기할 수 있었다고 한다.

시디스가 태어난 같은 도시에 바보도 있다. 신이 그들을 태어날 때부터 그렇게 창조했을까, 아니면 그들이 현재의 정신적 차이를 이루기까지 진화 과정을 통해 그렇게 되었을까? 특별 창조론이 타당하다면, 왜 바보는 시디스가 쉽게 나눠줄 수 있었던 지능의 일부라도 받지 못했을까? 만약 그들이 특별 창조의 산물이라면, 그러한 끔찍한 불평등에서 이유나 정의를 찾기란 불가능하다. 그러나 만약 환생이 신의 창조 방법이라면, 그들 사이의 차이에 대한 설명은 간단해진다. 시디스는 단순히 오래된 영혼일 뿐만 아니라 과거 생에서 열심히 노력한 영혼으로 보인다. 그는 육체의 나태함을 벗어던지고 의지의 힘을 발전시켜 장애물을 극복하며 지적 진보의 모든 적을 물리치고, 지금의 훌륭한 신체와 두뇌를 얻었다. 그의 현재 능력은 그가 과거에 쏟아부은 에너지의 총합일 뿐이다.

특별 창조론은 삶의 사실을 설명하지 못한다. 이 이론은 정의도, 조화도, 일관성도 결여되어 있으며, 자연법칙과도 일치하지 않는다. 자연에는 특별 창조라는 개념이 존재하지 않는다. 특별 창조를 믿는 것은 모든 과학적 사실과 원칙을 무시하는 것이다. 반면에 환생은 과학과 자연법칙에 조화를 이룬다. 환생은 진화이며, 자연의 모든 왕국은 진화를 통해 발전한다. 바위와 흙과 싸우며 겨우 생존하는 쭈글쭈글한 야생 곡물과 세상을 먹여 살리는 풍성한 경작 밀 사이의 차이는 진화의 결과이다. 야생 줄기가 씨앗을 생산하고, 그 씨앗에서 더 나은 줄기가 나온다. 더 나은 줄기는 더 우수한 곡물을 생산하고, 그 곡물에서 더 뛰어난 줄기가 나와 이전 것들보다 더 높은 품질의 밀을 제공한다. 줄기는 땅에서 싹이 트고, 성장하며, 그 모든 성장을 씨앗에 저장하고 사라진다. 그러나 그 씨앗에서 환생한 형태가 다시 자라나, 가난한 것이 좋은 것으로, 좋은 것이 더 나은 것으로, 더 나은 것이 최상의 것으로 변하는 과정을 반복한다. 환생하는 영혼도 마찬가지다. 거의 가치 없는 곡물이 많은 계절을 거쳐 완벽한 가치로 변하는 것처럼, 영혼도 진화의 동일한 법칙에 의해 많은 환생을 통해 야만적인 본능의 혼돈에서 도덕적 세계의 법과 질서로 천천히 변화한다. 각 환생은 일부 개선을 가져온다. 씨앗이 땅속의 어둠 속에서 싹을 틔우고, 그곳에서 사라지면서 태양과 공기의 더 높은 영역에서 완전한 결과를 얻는 것처럼, 영혼도 낮은 차원에서 닻을 내리고 다양한 경험에서 얻은 것을 몸의 죽음 이후 변환하여 더 큰 생명력으로 돌아올 수 있는 힘을 얻는다.

태어날 때부터 나타나는 정신적, 도덕적 불평등에 대한 설명을 찾기 위한 시도가 여러 번 있었다. 진화 연구의 초기에는 인간이 부모로부터 정신과 도덕을 물려받는다고 주장하는 경우가 많았다. 그러나 설령 그것이 사실이라고 해도, 한 사람이 천재로 태어나고 다른 사람이 바보로 태어나는 불공정성은 여전히 존재한다. 불평등이야말로 불공정성을 구성하는 사실이며, 그것이 유전으로 인한 것인지 아닌지는 중요하지 않다. 실제로 유전은 존재의 물리적 측면에만 국한된다. 관찰에 의해 더 많은 것이 밝혀지면서, 정신과 도덕의 유전에 대한 오래된 이론은 점차 설 자리를 잃었고, 이제는 과학계에서 인정받지 못하고 있다. 실질적인 경험을 가진 사람들이 이 주제에 대해 가장 잘 말할 수 있다. 많은 결함을 가진 아이들을 돌보는 스탠포드 대학교 아동 클리닉의 A. 리터 박사는, 단일 연도에만 1,600명의 아이들을 치료하며 다음과 같이 말했다.

"결함 있는 유형의 만연한 원인에 대해 확정적이거나 확신을 가지고 말할 수는 없습니다. 나는 사회적 또는 교육적 이론가들이 원인을 술, 가난, 전염병 또는 다른 사회적, 도덕적 결함에 명확히 귀속시키는 것에 동의하지 않습니다. 세계의 가장 위대한 지성들도 이에 대해 이론화하는 것을 주저합니다. 많은 경우를 설명하는 복합적인 원인이 있지만, 어떤 일반화도 절대적으로 맞아떨어지지 않습니다. 우리는 이러한 조건 중 어느 것도 추적할 수 없는 사례를 발견할 수 있습니다 - 선행 조건들이 완벽히 정상적인 아이를 약속하는 경우에서도 말입니다. 반면에, 밝고 정상적인 아이들, 심지어 우수한 지능을 가진 아이들이 때때로 그런 조건에서 태어나기도 합니다."

천재성과 백치에 관한 사실을 조금만 생각해 보면, 둘 다 유전되지 않는다는 것을 명확히 알 수 있다. 만약 천재성이 유전된다면, 사회는 전혀 다른 모습을 보일 것이다. 천재성이 유전된다면 음악, 시, 전쟁, 발명, 예술 분야에서 유명한 천재 가문들이 존재했을 것이다. 그러나 사실은, 어떤 가문에서도 두 명의 천재를 찾기조차 어렵다는 것이다. 시저, 나폴레옹, 에디슨, 링컨, 바그너, 셰익스피어 같은 인물들은 위대한 조상도, 위대한 후손도 없이 홀로 서 있다. 우리는 이런 인물들의 위대한 조상을 찾기 위해 헛되이 노력한다. 그러나 만약 정신적 유전에 대한 이론이 타당하다면, 우리는 그들의 조상을 그들을 아는 것과 동일한 이유로 알게 되었을 것이다.

그러므로 유전은 천재성이 어디에서 오는지 설명하지 못한다. 만약 누군가가 천재성을 아버지나 할아버지에서 아들이나 손자로 추적해왔다고 해도, 우리는 여전히 천재성이 무엇인지에 대한 설명을 얻지 못했을 것이다. 우리는 그것을 단지 어떤 이상한 우연의 결과로 간주할 수밖에 없었을 것이다. 그러나 과학자는 자연의 법칙에 그러한 요소가 없다는 것을 알고 있다. 천재성이 이해할 수 없게 보이는 유일한 이유는 우리가 그것을 자연의 진리라는 관점에서 보지 않았기 때문이다. 우리는 이 물리적 세계에서의 삶이 유일한 삶이라고 잘못 가정해왔고, 따라서 천재성이 진화하기에는 시간이 너무 짧다고 여겨왔다. 한 사람이 한 평생 동안 전문가가 될 수는 있지만, 천재가 되기는 어렵다. 그러나 특정한 방향으로 발전할 수 있는 여러 번의 환생을 허락한다면, 그는 특정 유형의 천재가 될 수 있다. 여러 생애에 걸쳐 특정 능력을 쌓기 위해 열심히 노력하는 영혼은 자연스럽게 인과체에 그 자질을 발전시키며, 이는 물리적 몸으로 돌아왔을 때 빛나게 된다. 우리는 우리의 정신력과 도덕성을 발전시키며, 그렇지 않다면 삶에 정의가 있을 수 없을 것이다.

다음 환생에서 새로운 신체를 얻는 데에는 우연의 요소가 전혀 없다. 몸은 자아의 물질적 표현이다. 장미가 덤불에서 나오고, 사과가 나무에서 열리며, 튤립이 구근에서 피어나는 것처럼 신체도 자아의 산물이다. 음악가가 대장장이에게 적합한 신체를 가질 수 없는 것처럼, 장미 덤불이 사과를 맺을 수는 없다. 우리는 신체를 복권처럼 무작위로 받는 것이 아니다. 우리는 신체를 진화시키며, 각 환생에서 새로운 신체는 그 시점까지 영혼이 진화한 모든 것을 표현한다. 이러한 삶의 관점은 절대적인 정의를 바탕으로 한다. 모든 영혼은 자신이 이룬 만큼 정확히 받는다.

서양 문명에서 흔히 믿어지는 바는 우리가 이곳에서 60년에서 70년 정도 살고, 죽으면 어딘가에서 영원히 산다는 것이다. 그리고 그 영원한 삶이 즐거움으로 가득 차 있을지, 고통으로 가득할지는 우리가 이 짧은 물리적 삶을 어떻게 보냈는가에 달려 있다고 한다. 이러한 운명은 불공평하고 부당하다. 만약 한 학기 동안 고칠 수 없는 학생을 영원히 교육받을 기회를 박탈하는 것은 공정하지 않다. 우리는 그에게 다음 학기에 또 다른 기회를 줄 것이다.

가정생활에서의 작은 불복종 사건이 이 점을 설명해줄 수 있다. 테이블 위에 퀴닌 캡슐이 놓여 있었다. 세 살짜리 남자아이가 그것을 집어 들었다. 그의 어머니가 방 건너편에서 "그거 먹지 마, 그건 사탕이 아니야"라고 말했다. 그러나 아이는 장난기 가득한 마음으로 그것을 입에 넣고 빨리 씹어 먹었다! 이 작은 아이에게는 매우 불쾌하지만 유익한 교훈이었다. 이는 자연의 방법을 보여주는 예다. 자연은 항상 일관성이 있으며, 원인과 결과 사이에 균형 잡힌 관계를 유지한다. 그러나 영원한 결과가 일시적인 효과에 따라온다고 믿는 사람들처럼, 이 경우 자연의 일관성을 무시한다고 가정해보자. 평범한 일생을 영원과 비교하는 것은 80년과 단 1초의 불복종을 비교하는 것과 비슷하지만, 이 예시는 적절하지 않다. 영원은 끝이 없기 때문이다. 이 원칙을 적용하려면 아이에게 "너는 1초 동안 불복종했기 때문에 80년 동안 퀴닌을 맛보아야 할 것이다!"라고 말하는 것과 같다. 그런 처벌이 부당하다면, 평생 저지른 실수로 인해 영원히 고통받는 것을 무엇이라 불러야 할까?

인류의 복지를 고려하지 않는 존재 가설은 잘못된 가설이다. 실패를 만회할 기회를 제공하는 것보다 공동의 복지를 더 잘 돌볼 수 있는 계획이 있을까? 범죄로 인해 죄수가 선고를 받더라도 우리는 그에게 기회를 빼앗지 않는다. 그의 인격을 개선할 수 있는 모든 기회를 제공한다. 신이 인간보다 덜 공정하거나 자비로울 수는 없다. 환생은 새로운 기회다. 모든 환생은 또 다른 기회다.

만약 영원한 천국과 지옥에 대한 대중적인 관념이 옳고, "좁은 길"을 찾는 사람이 적다면, 인류의 대다수가 짧은 평생의 단 한 번의 기회를 사용하고 실패하는 때가 올 것이다. 만약 그것이 정말로 사실이라면, 그들이 또 다른 기회를 가졌을 때 무엇을 할지는 쉽게 상상할 수 있다! 기회는 얼마나 오래 주어져야 할까? 기회가 사용되는 한 계속 주어져야 하며, 과거의 실수를 만회하고자 하는 사람에게 기회를 박탈하는 것은 인류 복지의 원칙을 무시하는 것이다. 따라서 그러한 계획은 진정한 계획이 될 수 없다. 존 J. 잉걸스는 기회를 의인화하여 다음과 같이 썼다:

나는 인간 운명의 주인이로다!
명성과 사랑, 행운이 내 발걸음을 따르네;
도시와 들판을 걸으며; 나는 관통하네
멀리 떨어진 사막과 바다를, 그리고 지나치며

오두막과 시장과 궁전을, 조만간
청하지 않은 채 모든 문을 한 번씩 두드리네.
잠들어 있다면, 깨어나라; 잔치 중이라면, 일어나라
내가 돌아서기 전에. 그때가 운명의 시간이니,
나를 따르는 이들은 인간이 바라는 모든 곳에 이르고
죽음을 제외한 모든 적을 정복하리라
하지만 의심하거나 주저하는 이들은,
실패와 빈곤, 비통함에 처하게 되어,
헛되이 나를 찾고 쓸데없이 애원하리라;
나는 대답하지 않고 다시 돌아오지 않으리.

이것은 한 관점에서 충분히 맞는 말이며, 행동할 시기가 왔을 때 신속하게 행동하는 것의 중요성을 강조한다. 그러나 이 주제에 대해 표현되어야 할 또 다른 진리가 있으며, 이는 월터 말론이 잘 설명하고 있다. 그는 다음과 같이 말한다:

내가 다시 오지 않는다고 말하는 이들은 나를 잘못 알고 있네,
한 번 두드리고 당신을 찾지 못했다 해서;
나는 매일 당신의 문 밖에 서 있으며,
당신이 깨어나 일어나 싸워 이기기를 청하네.
소중한 기회들이 지나갔다고 탄식하지 마오;
황금시대가 저물어 간다고 울지 마오;

매일 밤 나는 그날의 기록들을 태우고,
해뜨면 모든 영혼이 다시 태어나네.
지나간 영광들을 보며 소년처럼 웃으시오;
사라진 기쁨들에 대해 눈멀고 귀먹고 말 못하게 되시오;
나의 심판은 죽은 과거와 그 죽은 이들을 봉인하지만,
아직 오지 않은 순간은 결코 구속하지 않네.
비록 깊은 진흙 속에 있더라도, 손을 비틀며 울지 마오,
"할 수 있다"고 말하는 모든 이에게 나의 팔을 빌려주리라.

인간 진화에 대한 얼마나 장엄한 관점인가! 언제나 새로운 기회가 있기에 궁극적인 실패란 있을 수 없다. 한 생에서의 실패는 다음 생의 진실된 노력으로 보상받는다. 과거의 모든 잘못과 약점들 - 그림자처럼 드리웠던 오점들 - 은 새롭게 얻은 더 높은 지혜의 빛 속에서 사라진다. 영원한 지옥도, 끝없는 고통도 없다. 심지어 지나간 기회들의 유령이 마음을 괴롭히지도 않는다. 오직 불멸의 기회가 끊임없이 속삭이는 소리만이 있을 뿐이다. 그 소리는 우리에게 깨어나 일어나 투쟁하고 승리하라고 재촉한다!

CHAPTER XI. 환생: 그 필요성

인류의 기원을 설명하려는 시도는 크게 세 가지로 보인다. 이 중 두 가지가 불가능하다고 밝혀진다면, 우리에겐 남은 하나를 받아들일 수밖에 없을 것이다. 첫 번째는 유물론자의 이론이고, 두 번째는 신이 최초의 인간 쌍을 창조하고 계속해서 아기들의 영혼을 만든다는 일반적인 믿음이다. 세 번째 가설은 영혼의 진화론이다.

유물론자의 입장을 간단히 요약하면, 지성적 지침 없이 자연의 힘만으로도 우리가 보는 인간을 설명할 수 있다는 것이다. 그들은 인간의 지속적인 의식은 환상이며, 불멸은 헛된 꿈일 뿐이고, 인류에겐 과거도 미래도 없다고 주장한다. 그러나 유물론자들이 근거로 삼는 과학적 사실들조차 이런 결론과 모순된다.

이 유물론적 믿음은 인체를 자족적인 기계로 보며, 뇌가 사고를 생성한다고 여긴다. 하지만 야만인도 우리와 같은 눈, 귀, 그리고 다른 기관들을 가진 완전히 진화된 신체를 갖고 있다. 현미경으로 보면 그들의 뇌는 물질적 구성에서 문명인의 뇌와 차이가 없다. 사실, 그들의 신체는 우리 것만큼 완전한 기계일 뿐만 아니라 물질적으로는 더 건강할 수 있다. 그렇다면 뇌가 사고를 만들어낸다면, 왜 이 야만인은 철학자의 사고를 만들어내지 못할까? 만약 뇌 뒤에 지시하는 영혼이 없다면, 두 뇌의 산물에 왜 이렇게 놀라운 차이가 있을까?

유물론자들은 생명 현상을 설명할 수 있다는 가정에서 너무 나아간다. 그들은 학문적으로 이야기할 순 있지만, 생명의 근원 앞에서는 멈출 수밖에 없다. 해부학과 생리학에 대해 모든 것을 알고 있지만, 인간 기계를 통해 흐르는 생명은 여전히 설명되지 않는다. 그들은 혈액 순환을 심장에서 동맥으로, 동맥에서 정맥으로, 정맥에서 다시 심장으로 추적할 수 있지만, 인류가 배출한 가장 위대한 두뇌조차도 무엇이 심장을 뛰게 하는지 말할 수 없다. 생명은 유물론적 관점에서 설명되지 않았고, 설명될 수도 없다. 모든 인간은 기적이다. 손톱마저도 진화의 신비다. 살을 만드는 것과 같은 음식으로 형성되며, 음식의 종류나 질에 관계없이 계속 형성된다. 왜 특정 입자들은 살이나 손톱이 될까? 누가 그 경계선을 그을 수 있을까? 과학은 놀라운 도구와 경이로운 기술로 '흙의 성막'을 탐험하고 지도를 그리고 도표화했지만, 그것을 움직이는 지성에 대해서는 단 하나의 빛도 비추지 못한다.

유물론은 이 방향에서 충분히 실패하지만, 우리 주변의 삶의 파노라마를 만족스럽게 해석하는 데서도 더욱 심각하게 실패한다. 이는 가장 우울한 숙명론의 철학이다. 유물론은 우리가 단순히 우연히 현재의 모습이 되었다고 주장한다. 우리는 단지 우연한 화학적, 기계적 조합 때문에 지금의 우리일 뿐이라는 것이다. 만약 그 조합이 우연히 다른 것이었다면, 우리는 존재하지 않았을 것이다. 우연은 유물론자의 세계를 지배하는 왕이다.

이 이론에 따르면 모든 능력은 자연의 선물이며, 모든 능력의 부족은 우연의 맹목적인 선택이다. 누구도 자신의 모습에 대해 어떠한 공로도 인정받을 수 없으며, 누구도 자신의 결핍에 대해 논리적으로 비난받을 수 없다. 모든 이는 마치 눈을 감고 강제로 가방에서 무언가를 꺼내는 사람들과 같다. 한 사람이 상을 받았다고 해서 그의 공로가 되는 것도 아니고, 다른 사람이 꽝을 뽑았다고 해서 그의 잘못이 되는 것도 아니다. 이 가설은 우리가 최근까지 존재하지 않았으며 곧 존재하지 않게 될 것이라고 주장한다. 우리는 우연히 나타나 짧은 기간 동안 살다가, 운에 따라 고통받거나 즐기다가 영원한 침묵의 망각 속으로 사라진다는 것이다. 모든 생각, 모든 노동과 노력, 모든 인내와 견딤이 아무것도 아니며, 아무것도 이루지 못했다는 것이다. 이러한 철학은 우리 시대의 진보 속에서 오래 살아남지 못할 것이다. 자연의 보존 원리의 균형이 부족하고, 보편적 법칙의 완전성이 결여되어 있다. 또한 모든 인간의 의식 속에 자리 잡은 정의의 요소가 부족하며, 이 정의 없이는 삶은 무의미한 조롱이 되고 세상은 절망의 혼돈이 될 것이다.

그러나 유물론자의 철학이 나쁜 점이나 바람직하지 않은 믿음을 독점하고 있는 것은 아니다. 기계적 창조에 대한 오래된 대중적 관념 역시 사실과 이성 모두와 충돌한다. 이 믿음은 신이 사람들이 집을 짓는 것처럼 세상을 창조하고, 사람들이 지어진 집을 꾸미는 것처럼 인간을 추가했다는 것이다. 이는 신이 여전히 세상에 태어나는 신체만큼 빠르게 영혼을 만들고 있으며, 이 영혼들은 출생 시 존재를 시작하여 여기서 단 한 번의 삶을 살고 나서 끝없는 축복이나 영원한 고통으로 넘어간다는 믿음이다.

이 사상은 지배적 지성과 불멸성에 관해서는 유물론과 다르지만, 다른 면에서는 놀랍도록 유사하다. 유물론과 마찬가지로 이 사상은 운명론적이다. 인간을 저항할 수 없는 힘의 무력한 대상으로 만들기 때문이다. 다만 유물론자들이 맹목적인 힘을 가정하는 자리에 지적인 힘을 제1원인으로 둔다는 점이 다를 뿐이다.

유물론자들은 모든 인간의 특성이 자연의 선물이라고 말하는 반면, 대중적 믿음에 따르면 그것들은 신의 선물이다. 어느 경우든 한 부류의 인간은 노력하지 않고도 능력을 얻고, 다른 이들은 부당하게 결함을 받게 된다. 지적인 사람은 이유 없이 혜택을 받고, 어리석은 사람은 무자비하게 불이익을 당한다. 어떤 이들은 좋은 환경에서 태어나 구원이 보장된 채 세상에 오지만, 다른 이들은 실패할 운명을 안고 태어난다. 예정설은 이러한 사상들과 논리적으로 맞닿아 있다.

다행히도 세상은 오랫동안 예정설에서 벗어나는 방향으로 발전해 왔다. 이는 현대의 정의감에 너무나 충격적이기 때문이다. 하지만 세상은 동시에 이런 점을 깨닫고 있을까? 만약 지상에서의 삶이 단 한 번뿐이고 영혼이 태어날 때 창조된다면, 예정설의 본질은 여전히 남아있는 것이 아닐까? 왜냐하면 어떤 이들은 구원에 이를 만한 지혜를 가지고 창조되는 반면, 다른 이들은 그렇지 못한 채로 창조되기 때문이다.

만약 영혼에 전생이 없다면, 태어날 때 어떤 책임도 없을 것이며 마찬가지로 어떤 공덕도 있을 수 없다. 어떤 이는 건전한 정신과 도덕적 통찰력을 가지고 태어난다. 이런 자질들이 구원으로 이끌 수 있겠지만, 그 사람은 이를 얻기 위해 아무것도 하지 않았다. 반면 다른 이는 잔인하고 악덕스러운 성향과 낮은 지능을 가지고 태어난다. 그래서 구원을 놓칠 수 있겠지만, 만약 전생이 없었다면 그가 이런 출발점을 받을 만한 어떤 일도 하지 않았을 것이다. 우리가 정말로 처음 이 세상에 왔다면, 정의는 오직 우리 모두에게 동등한 출발선과 이후의 동등한 기회를 제공함으로써만 실현될 수 있을 것이다.

잠시 태어날 때의 인간 간 엄청난 차이에 대해 생각해 보자. 야만인에서 성인에 이르기까지 모든 단계의 악덕과 미덕이 있고, 바보에서 철학자에 이르는 모든 지적 변주가 존재한다. 만약 신이 정말로 태어날 때 영혼을 창조한다면, 어떤 이는 아무런 노력 없이 현명하고 친절하게 창조된다. 반면 다른 이는 사악하고 타락하게 창조된다. 그는 그런 대우를 받을 만한 어떤 일도 하지 않았다. 한 사람은 정당한 자격 없이 천부적 재능을 한껏 받고, 다른 사람은 자초하지 않은 우둔함으로 망가진다. 그리고 우리는 신이 그들을 이렇게 만들었다고 믿으라는 요구를 받는다! 이런 믿음은 이성과 정의에 어긋난다.

신과 인간의 관계에 대한 이 오래된 관점에서 구원이 믿음을 통해 이루어진다고 본 이유를 쉽게 이해할 수 있다. 개인의 자질이 태어날 때 신에 의해 주어진 것이라면, 그 사람에게는 공적이 없기 때문에 자신의 공로로 구원받는 것은 불가능했다. 영적 진리를 이해하는 능력과 유혹을 물리치는 도덕적 힘마저도 그가 스스로 얻은 것이 아니라 부여받은 것이었다.

이러한 통념이 옳다면, 인간은 칭찬받거나 비난받아서는 안 된다. 그들은 단지 신이 선택해 할당한 정신적, 도덕적 능력에 따라 움직이는 인간 자동기계일 뿐이다. 이것이 사실이라면, 천재성은 그 업적에 대해 공로를 인정받을 필요가 없고, 게으름은 질책받을 이유가 없으며, 비겁함은 비난받지 않아야 하고, 관용은 칭찬이 필요 없으며, 잔인함은 꾸짖을 이유가 없고, 미덕은 박수받을 필요가 없으며, 영웅적 행동은 그 이타적 희생에 대해 명성을 얻을 이유가 없다. 그럼에도 불구하고, 이 터무니없고 비논리적인 믿음은 여전히 수백만 명의 사람들의 마음속에 남아있다. 이는 단지 오랫동안 믿어왔기 때문에 계속 믿어지고 있는 것이다.

만약 유물론이 불가능한 철학이라면, 영혼이 태어날 때 창조된다는 일반적인 믿음도 불가능하다. 이 이론은 불멸에 대한 믿음을 정의를 파괴하고 논리를 거스르는 조건들로 짓누르고 있다. 이러한 오래된 믿음은 이미 그 시대를 지났다. 이는 정보가 너무 부족했던 시기에만 가능했던 것이고, 마치 지구가 평평하다는 옛 믿음처럼 새로운 지식에 자리를 내줘야 한다. 진화의 진리는 종교의 가장 강력한 친구다. 이는 신에 대한 과학적 믿음, 불멸에 대한 합리적인 신앙, 그리고 자연 자체에 근거한 인류의 형제애를 구축할 수 있는 기초가 된다. 신과 천국, 불멸에 대한 믿음을 파괴한다고 성급히 여겨졌던 그 아이디어가 이제는 그것들의 진리를 증명하는 가장 중요한 증거가 되고 있다. 초기 진화론 시대에 가장 저명한 과학자들이 불가지론자였다는 것은 사실이지만, 오늘날 세계의 가장 저명한 과학자들이 영혼의 존재와 불멸을 믿고 있으며, 그 믿음을 과학적 근거에 두고 있다는 것도 사실이다.

진화의 본질적인 사실은 무엇이며, 그것이 어떻게 유물론에 반하고 불멸을 지지하는 증거가 되는가? 진화는 단순한 것에서 복잡한 것으로, 단일한 것에서 다양화된 것으로 질서 있게 전개되는 과정이다. 이 과정에서 생명은 낮은 형태에서 높은 형태로 진화하며, 각 단계에서 얻은 경험의 정수를 자신 안에 저장한다.

진화가 확립한 중요한 사실 중 하나는 서서히 구축되는 것이 창조의 질서라는 것이다. 말이 그 예이다. 말은 현재의 지능과 유용성에 도달하기까지 오랜 세월을 거쳐 작은 생명체에서 진화해 왔다. 진화에서 또 하나 중요한 사실은 생명의 연속성이다. 나비는 자주 예로 사용되지만, 이 원리는 개미, 파리, 벌 등 고등 곤충에서도 적용된다. 애벌레의 변태는 대부분의 사람들이 직접 관찰한 아주 흔한 현상이다. 상상 속에서 그 변태 과정을 지켜보자. 이 과정은 유물론적 철학을 반박한다. 애벌레는 진화하는 생명이나 지능이 거주하는 물리적 몸체다. 그 물리적 몸체는 소멸하여 거리의 먼지가 된다. 생명은 번데기의 무덤으로 들어간다. 과학자는 그 번데기를 얼음 창고에 넣어 몇 년 동안 얼려둔다. 애벌레나 나비는 서리를 맞으면 죽지만, 번데기가 얼음에서 꺼내져 더 높은 온도로 옮겨지면, 승리한 생명은 나비의 형태로 나타난다. 이 현상은 생명이 몸의 소멸을 견딜 수 있음을 증명한다. 애벌레의 몸은 죽어서 먼지가 되었지만, 그 안에 살았던 애벌레는 죽지 않았다. 이제 그것은 더 높은 형태의 물리적 몸체로 다시 물리적 세계에서 살아간다.

여기, 인간보다 거의 무한히 낮은 존재의 단계에서 우리는 물리적 형태로 존재하는 개체 생명을 볼 수 있다. 이 생명은 그 형태를 떠나 몇 년 후 또 다른 형태를 차지하고 그 안에서 살아간다. 곤충의 생명 연속성을 인정하면서 인간에게는 이를 부정할 수 있을까? 벌레에게 죽지 않는 무언가가 있다면 인간에게는 없을까? 이 주제에 관한 물리적 증거가 없더라도 자연의 논리는 우리를 확신에 찬 결론으로 인도할 것이다. 과학이 지금까지 축적한 진화에 대한 지식은 네 가지 자연스러운 추론으로 이어진다. 하나는 인간이 불멸한다는 것이고, 또 하나는 모든 생명체처럼 인간도 현재의 모습으로 천천히 진화해왔다는 것이다. 세 번째는 생명과 그 생명이 사용하는 형태가 함께 진화하고 있다는 것이며, 네 번째는 하위 계층이 상위 계층으로 계속 진화한다는 것이다. 인간의 영혼은 야만인에서 성인으로, 동물적 본능에서 순교자와 영웅의 자기희생으로 진화한다. 인류가 진화해왔고, 진화하고 있으며, 정신적 도덕적 완전성에 도달할 때까지 계속 진화할 것이라는 결론은 피할 수 없다.

유물론자의 이론도 영혼이 태어날 때 창조된다는 일반적인 개념도 만족스럽지 않다면, 우리는 환생만이 남는 가설이다. 그리고 영혼의 진화를 자연적 진리로 받아들인다면, 환생은 알려진 삶의 사실을 설명하는 필수적인 요소가 된다.

하지만 영혼의 진화를 받아들이면서도 환생 가설을 거부하려는 인생 연구자들도 있다. 하지만 그것이 어떻게 가능할까? 영혼이 진화하고 있다면 성장의 법칙에 따라 발전할 필요가 있다. 이는 제9장에서 논의한 바 있다.

영혼과 그 불멸성에 대한 생각을 진화의 사실과 조화시키고자 하는 사람들은 가끔 물질적 차원을 떠나 더 높은 차원에서 진화를 계속할 수는 없는지 묻는다. 광대한 우주에는 모든 가능한 발전의 기회가 있어야 한다고 주장한다.

그러나 여기서 배워야 할 교훈을 배우지 않고 다른 영역으로 나아가는 것은 왜일까? 그것은 에너지 보존의 자연 법칙을 위반하는 것이다. 평균적인 인간은 초급 단계에 있으며, 수십 번의 환생을 거쳐야 기회를 제대로 활용하고 상당히 빠르게 진보할 수 있는 위치에 도달할 것이다. 더 높은 차원으로 나아가 진화를 계속하자는 말은 유치원을 졸업하지 않은 아이가 대학에 입학하자는 것과 같다.

우리는 정신적, 도덕적 두 가지 방향으로 진화하고 있으며, 조금만 생각해보면 두 가지 중요한 점이 명확해진다. 첫째, 우리는 배울 것이 많다는 점이고, 둘째, 물질적 세계가 우리의 학습을 위해 놀랍도록 잘 구성되어 있다는 점이다. 여기에는 더 높은 차원에서는 존재하지 않는 정신력을 개발할 조건이 마련되어 있다. 예를 들어, 음식을 구해야 하는 절대적인 필요성이 있다. 음식을 구하지 못하면 죽음에 이르게 된다. 배고픔은 진화의 가장 낮은 단계에서 행동을 자극하는 초기 동기였으며, 지금 우리가 높은 수준에 도달한 지금도 여전히 주요한 인류 활동의 요소 중 하나이다. 생필품을 제공하고 수많은 욕구를 충족시키는 과정에서 정신력이 발달한다. 사업과 전문 직업 생활은 이러한 물질적 필요에 기초하며, 문명의 문제를 해결하는 과정에서 인간은 지성을 발전시킨다. 이러한 문제들은 더 높은 차원에서는 존재하지 않는다.

물질적 필요에 의해 정신력이 진화하면서, 가족의 유대감은 다른 곳에서는 불가능한 방식으로 마음의 자질을 발전시킨다. 영혼이 물질적 세계에 들어오는 것은 본질적으로 무력한 상태로 시작된다. 처음부터 물질적 필요를 충족하지 못하면 죽게 되며, 새로운 유아의 몸으로는 아무것도 할 수 없다. 또한, 일반적으로 물질적 세계를 떠나기 오래 전에 노화는 다시 한번 무력함을 초래한다. 따라서 모든 인간은 각 환생의 두 중요한 시기에 다른 사람의 도움에 의존해야 한다. 유년기와 노년에 받은 도움을, 성숙한 육체적 삶의 정점에 있을 때 무력한 어린이와 노인을 돌보는 방식으로 인류에게 돌려준다. 이러한 경험은 사업 생활의 어떤 단계에서도 발달할 수 없는 동정심과 연민을 키운다. 부모와 자녀, 남편과 아내의 관계는 더 높은 차원의 완전히 다른 환경에서는 불가능한 방식으로 마음의 자질을 발전시킨다. 자연스럽게 각 차원은 영혼의 진화에서 특정한 역할을 한다. 우리가 물질적 세계에서 배워야 할 교훈을 더 높은 차원에서 배울 수 없듯이, 학생이 지리 수업에서 수학을 배울 수 없는 것과 같다. 따라서 우리가 부족한 자질이 발달할 때까지 주기적으로 이 세계로 돌아올 필요가 있다.

각 차원이 영혼의 진화에서 특정한 필요에 특별히 적응할 뿐만 아니라, 영혼이 기능하는 두 가지 물리적 몸—남성과 여성—도 삶의 교훈을 습득하는 데 특별한 이점을 제공한다. 영혼이 본래 차원에서는 성별이 없다. 우리가 아는 성별은 영혼이 낮은 차원에서 표현되는 과정에서 발생하는 구분이다. 지능, 사랑, 헌신과 같은 영혼 자체의 모든 특성은 남성과 여성 모두에게 공통적이다.

남성의 몸을 통해 기능하는 자아는 여성의 몸에서는 불가능한 특정 경험을 할 기회를 가지며, 물론 여성의 몸은 남성의 몸에서는 경험할 수 없는 것을 자아가 경험하게 한다. 아버지와 어머니, 아들과 딸의 매우 다른 경험을 고려해보면 이것이 얼마나 사실인지 알 수 있다. 남성의 몸에서 얻는 교훈은 주로 머리의 교훈인 반면, 여성의 몸에서는 마음의 교훈을 얻는다.

자아가 에너지를 발휘하고 또 다른 환생을 위해 낮은 차원으로 내려가기 시작할 때, 이는 그 환생 기간 동안 정신력이나 영성이 지배적인 요소가 될 경험 주기의 시작을 의미하며, 아마도 몇 번의 환생 동안 지속될 것이다. 만약 자아가 객관적 활동과 관련된 경험을 통해 지성을 진화시키고자 한다면, 남성의 몸이 그 목적에 가장 잘 부합할 것이다. 하지만 지성이 아닌 영성이 지배적인 요소가 되어 영혼이 마음, 즉 주관적이고 직관적인 측면을 따라 움직이고자 한다면, 여성의 몸이 그러한 경험을 얻기에 더 적합한 매개체가 된다. 그렇다고 해서 남성의 환생이 지성을 독점한다는 의미는 전혀 아니며, 여성의 몸을 통해 표현되는 다른 영혼들이 근본적인 영적 우위를 가진다는 것도 아니다. 어떤 여성은 어떤 남성보다 더 논리적일 수 있으며, 어떤 남성은 어떤 여성보다 더 영적일 수 있다. 이는 특정 자아가 남성의 몸을 통해 지성을 더 잘 표현할 수 있고, 여성의 몸을 통해 직관을 더 잘 표현할 수 있다는 것을 의미한다.

일반적인 언어에서도 남성은 주로 머리의 특성을, 여성은 주로 마음의 특성을 표현한다는 진실을 확인할 수 있다. 우리는 남성을 논리적이라고, 여성을 직관적이고 인상에 의존한다고 말한다. 남성의 몸에 있는 영혼은 외적인, 객관적 활동의 경험을 얻고 있다. 그는 가정의 건설자이자 보호자, 생계를 책임지는 자, 전투를 벌이는 자이다. 여성의 몸에 있는 영혼은 내적인, 주관적 삶의 경험을 얻고 있다. 그녀는 아내이자 어머니이며, 그녀의 교훈은 머리보다는 마음에 관한 것이다.

자연을 연구하다 보면, 영혼의 진화를 위한 자연의 놀라운 메커니즘에 점점 더 감탄하게 된다. 학생에게 곧 분명해지는 것은, 각 개인이 매 환생마다 그 특정 자아의 최대한의 발전을 위해 정확히 필요한 상황에 놓인다는 것이다. 예를 들어, 주도력과 용기의 자질이 개발되어야 한다면, 남성의 몸이 그 목적에 이상적으로 부합하며, 동정심과 연민이 자극되어야 한다면 여성의 몸이 그러한 발전에 매우 효과적이다. 영혼이 한 성별로 무한히 환생하지 않는다는 것은 쉽게 이해할 수 있다. 영혼은 모든 내적 자질을 개발해야 한다. 지성과 연민 모두 완벽한 표현에 도달해야 한다. 이러한 성취는 성별 경험을 교대로 가짐으로써 가장 잘 달성될 수 있다. 그러나 이 법칙의 작용에는 넓은 범위가 있다. 일반적으로 한 성별에서 최소 세 번에서 최대 일곱 번의 연속적인 환생이 있으며,

그 후 자아는 다른 성별의 몸을 통해 자신을 표현하기 시작한다. 이 규칙에 따르면, 몇 백 년에서 몇 천 년 동안 자아는 한 성별을 통해 자신을 표현한 후 다른 성별로 전환한다. 한 사례에서는 어떤 자아가 약 3만 년 동안 남성의 형태로만 자신을 표현했으며, 그 기간 동안 여성의 환생 흔적을 전혀 찾을 수 없었다고 한다.

인간의 본성과 그가 펼쳐 나가는 내재된 신성한 자질을 연구하면서 환생의 필요성은 점점 더 분명해진다. 환생은 인간 차원에서의 진화 방식이다. 인간의 잠재적 능력은 오직 물리적 세계에서의 경험을 통해서만 자극될 수 있으며, 진화 과정에서 이루어야 할 작업은 너무도 방대하여 평범한 한 생애 동안에는 그 일부분만이 성취될 수 있을 뿐이다. 따라서 여러 번의 환생이 절대적으로 필요하다는 것은 명백하다.

CHAPTER XII. 왜 우리는 기억하지 못하는가

환생 사이의 기억 상실과 현재의 물리적 삶 이전의 경험을 기억하지 못하는 것은 때때로 환생 가설에 대한 부정적인 증거로 인용되곤 한다. 그러나 이 문제를 깊이 연구한 사람이라면 이러한 주장을 할 수 없을 것이다. 자세히 살펴보면, 기억 상실은 환생의 필수적인 부분임을 알 수 있다. 우리가 기억하지 못한다는 사실은 진화의 원칙과 완벽하게 조화를 이룬다. 실제로 이 주제를 깊이 연구한 사람이라면 우리가 과거의 환생을 기억하지 못하는 이유뿐만 아니라, 왜 기억하지 말아야 하는지도 이해하게 되기 때문에, 우리가 정상적으로 기억할 수 있다는 것에 오히려 크게 놀랄 것이다.

환생을 통한 진화의 작업은 기억의 희생을 필요로 한다. 물질 안에 의식을 가두고 물리적 몸을 사용하는 한 가지 유용한 목적은 의식의 범위를 좁혀 그 효율성을 높이는 것이다. 자아의 의식은 과거와 미래를 아우르는 광범위한 범위를 포괄하지만, 물질의 제한은 의식이 물리적 몸을 통해 표현되도록 강제하며, 이는 즉각적인 진화 작업에 집중하게 한다. 뇌는 의식의 도구가 되지만 동시에 의식을 제한하는 역할도 한다. 만약 기억의 상실이 없다면 우리의 마음은 수천 년 전의 모험을 떠올리며 수많은 사랑과 증오, 비애와 비극으로 가득 찬 광대한 드라마를 포함하게 될 것이다. 이렇게 과거의 삶에 마음이 분산되면 우리의 진보는 지연될 것이다. 혼자 있고 고요한 곳에서 생각이 더 잘 정리되고 많은 일을 해낼 수 있는 것처럼, 생각할 것이 적을 때 생각은 더 효과적이다. 의식을 현재의 삶에 제한하고 마음을 집중시키는 것이 가장 만족스러운 결과를 얻기 위해 필수적이다. '모든 것을 알고자 하는 자는 아무것도 마스터할 수 없다.'는 옛말처럼, 집중만이 만족스러운 결과를 낼 수 있다. 우리가 이 삶의 교훈을 마스터하려면 다른 삶을 의식의 범위에 포함시켜서는 안 된다. 환생의 과정 자체가 일반적인 것에서 구체적인 것으로 나아가는 것이며, 이는 의식의 범위를 좁히는 결과를 낳는다.

우리의 진정하고 영원한 삶이 원인체와 정신적 차원에 있다는 사실을 기억해야 한다. 그곳에서만 연속적인 기억이 가능하다. 각 환생에서 물질로의 하강은 당연히 뇌의 기억 범위를 넘어선다. 새로운 몸을 얻는 것은 본능이 동물에서 작동하는 것처럼 자연법칙의 작용이다. 이성적 사고 능력이 부족한 동물 왕국 전체도 목표를 정확하게 달성하는 지혜를 가지고 있으며, 이는 우리의 이해를 넘어선다. 이와 마찬가지로 인간의 진화도 우리의 깨어 있는 의식으로는 알 수 없는 추진력에 의해 이끌린다. 그러나 깨어 있는 의식은 전체의식의 일부일 뿐이다. 물리적 뇌를 통해 표현될 수 있는 의식의 단편이다. 물리적 뇌는 의식과 기억을 제한하는 역할을 하며, 이는 산맥이 시야를 제한하여 그 너머를 알 수 없게 하는 것과 같다. 더 높은 영역에서는 과거 환생의 기억을 포함한 더 넓은 삶과 광대한 의식을 알고 있다. 그러나 또 다른 환생으로 내려올 때는 마치 산맥 사이의 좁은 계곡으로 내려오는 것과 같아 더 넓은 세계와 단절된다. 기억은 의지로 통제할 수 없는 것에 의존한다. 예를 들어, 어떤 사람의 이름을 알고 있음에도 불구하고 당장 기억해낼 수 없는 때가 있다. 내일이면 그 이름이 떠오를지도 모르지만, 지금은 아무리 애써도 기억할 수 없다. 마찬가지로, 마지막 환생과 즉각적인 연결이 없는 경우 기억이 그 기록을 재생하지 못하는 것은 당연하다. 그것은 아마도 다른 문명과 다른 지역에서 일어난 일이며, 환생 사이의 긴 간격으로 인해 우리와 단절되었을 것이다. 그러나 우리의 모든 과거 경험은 이 삶의 모든 경험의 기록이 마음 속에 존재하는 것처럼 영혼 속에 존재한다. 현재 순간과 연결할 수 있든 없든 말이다.

그러나 과거 생애에서 발생한 사건이나 만났던 사람들을 기억하지 못한다면, 적어도 이전에 익숙했던 사실들에 대한 지식을 지금 왜 가지고 있지 않은지 의문을 가질 수 있다. 영혼이 환생을 통해 얻는 것은 구체적인 사실이 아니라 훨씬 더 고차원적이고 가치 있는 것이다. 그것은 사실의 본질을 이해하고 그들의 진정한 관계를 파악하는 능력, 즉 '좋은 판단력'이나 '상식'이라고 부르는 것이다. 비즈니스에서 성공하는 사람은 많은 사실을 알고 있어서가 아니라, 그 사실들을 어떻게 활용할지를 알기 때문이다. 백과사전은 많은 사실로 가득 차 있지만, 그것이

비즈니스를 운영할 수는 없다. 모든 이론가와 몽상가는 사실들을 많이 가지고 있지만, 성공하는 사람은 균형감과 판단력을 가진 사람이다.

처음에는 이전 생애에서 목수였던 사람이 톱의 이름과 사용법을 배울 필요가 없을 것 같고, 능숙한 필경사였던 사람이 펜을 잡고 글자를 쓰는 법을 천천히 배울 필요가 없을 것 같지만, 우리는 오래된 영혼이 자신을 표현하기 위해 새로운 신체적 도구를 사용하고 있다는 점을 기억해야 한다. 이전에 발전시킨 모든 기술을 사용할 수 있지만, 새로운 도구가 반응할 수 있게 될 때까지는 완전한 표현이 불가능하다.

이 상황은 오랜 세월 동안 같은 타자기를 사용해 온 속기사의 경우로 비유할 수 있다. 그가 최근 30년 동안의 놀라운 개선사항들을 전혀 보거나 듣지 못했다고 가정해보자. 만약 그의 오래된 타자기가 갑자기 사라지고 최신 모델이 그 자리에 놓인다면, 그는 처음에는 그 타자기를 거의 사용할 수 없을 것이다. 이는 그가 지식이 없어서가 아니라, 새로운 기계에 익숙해져야만 자신을 표현할 수 있기 때문이다. 그 기계는 그가 즉시 다룰 수 없는 메커니즘과 장치들을 가지고 있을 것이다. 또한 모든 문자가 외국어로 되어 있어서 기계를 사용하기 전에 그 언어를 익혀야 한다고 상상해보자. 그러나 이 비유는 아직 충분히 어렵지 않다. 우리는 또한 그 기계가 감정과 기분을 가진 살아있는 존재이며, 유아기와 청소년기에 해당하는 성장 단계를 거쳐야 한다고 가정해야 한다. 이러한 장애물들로 인해 속기사는 지식과 기술을 거의 가지고 있지 않은 것처럼 보일 것이다. 그러나 사실은 단지 그 조건들이 일시적으로 그의 지혜와 기술을 표현하지 못하게 하는 것뿐이다.

과거에 얻은 지식의 핵심은 뇌의 기억에 의존하지 않는 기술을 나타낸다. 어떤 사람이 기억 상실을 겪어 자신의 이름이나 거주지를 말할 수 없는 상태로 방황하게 되더라도, 그러한 기억 상실은 그가 발전시킨 어떤 기술을 사용하는 데 방해가 되지 않는다. 만약 그가 운동선수라면, 어느 체육관에서 자신의 강한 힘을 키웠는지는 기억하지 못하더라도, 기억의 부재와 상관없이 그 힘을 효과적으로 사용할 수 있다.

능숙한 필경사였던 사람은 모든 기술을 새로운 생애로 가져오지만, 당연히 새로운 신체는 펜을 잡고 글자를 쓰는 법을 배워야 한다. 모든 초등학교 교사는 어떤 아이는 그것을 빠르게 배우고 곧 능숙한 필경사가 되는 반면, 다른 아이는 그 특정 기술에서 결코 능숙함을 보일 수 없다는 것을 알고 있다. 그 이유는 한 아이는 이전에 그 기술을 발전시켰고, 다른 아이는 아직 그 기술을 발전시키지 않았기 때문이며, 몇 번 더 환생을 거쳐야 할 수도 있다.

환생 가설에 따르면 우리가 이전에 배운 것을 다시 배우기 위해 같은 과정을 반복해야 한다는 반론이 제기되기도 한다. 그러나 이러한 비판은 사실에 근거하지 않는다. 환생의 초기 단계에서는 학교 학기의 초반처럼 일부 필요한 요약이 있을 수 있다. 그러나 주로 우리는 추가적인 능력을 개발할 수 있도록 설계된 새로운 조건에 던져진다. 우리는 동일한 물질 세계로 돌아오지만, 이전보다 더 높은 형태의 문명을 마주하게 된다. 지금 우리가 경험하는 철, 증기, 전기의 시대와 같은 문명은 이전에 없었던 것이다. 이는 인간 본성의 기계적 능력을 발전시킬 수 있는 놀라운 기회를 제공한다. 이것은 진화적 계획의 아름다움과 유용성을 보여주는 또 다른 증거이다. 우리는 항상 이전에 알았던 것보다 더 큰 기회와 함께 돌아온다.

과거를 기억하지 못하는 것이 우리가 이전에 발전시킨 기술과 지혜를 사용하는 능력과 아무런 관련이 없을 뿐만 아니라, 과거를 기억하지 못하는 것이 오히려 큰 행운이라는 점도 명백하다. 만약 우리가 과거를 기억할 수 있다면, 그 기억은 이전 환생에서의 개인적 갈등을 계속 살아있게 할 것이다. 현재의 환생에서도 충분히 많은 갈등이 존재한다는 점을 부인할 사람은 없을 것이며, 현재의 갈등 중 일부를 잊어버릴 수 있다면 세상이 더 나아질 것이라는 점도 부인할 수 없다. 만약 모든 다투는 이웃들이 갑자기 그들의 갈등을 잊어버린다면, 이는 관련된 모든 사람들에게 분명한 이점이 될 것이다.

자연이 과거를 우리에게 가려놓은 지혜는 사람들이 현생에서 저지른 실수를 너무 오래 기억하는 것의 해로운 영향을 관찰함으로써 이해할 수 있다. 예를 들어, 매우 젊은 남자가 고용주의 돈을 관리하는 일을 맡고 있다가 현금이 급하게 필요해져서 고용주의 동의 없이 100달러를

"빌리는" 중대한 실수를 저지른 경우를 생각해보자. 그 젊은 남자는 정말로 돈을 빌린다고 생각하고 있으며, 곧 그 돈을 돌려줄 방법도 알고 있고, 자신 외에는 아무도 이 일을 알지 못할 것이라고 생각한다. 그러나 며칠 후 받아야 할 돈을 제때 받지 못하고, 예상치 못한 회계 검토로 인해 횡령 혐의로 체포된다. 그는 유죄 판결을 받고 1년간 감옥에 갇히고, 낙인찍힌 상태로 사회로 돌아온다. 무심한 사회는 그에게 문을 닫는다. 그는 직장을 구하려 애쓰지만, 아무도 전과자를 원하지 않는다. 그는 범죄 의도가 없었으며, 단지 경솔한 행동을 한 것뿐이며 나중에 돈을 돌려주었다고 설명하지만, 세상은 듣지 않는다. 사람들은 법원 기록만을 보고, 그 기록은 그에게 불리하다. 대중은 정상참작 사유를 잊거나 아예 알지 못한다. 그러나 두 가지는 결코 잊지 않는다. 유죄 판결과 감옥이라는 사실. 그 젊은 남자는 모든 것을 지우기 위해 거의 자신의 목숨을 걸겠지만, 이는 불가능하다. 그것은 평생 그에게 남아 있다. 그러나 자연은 지혜롭다. 그녀는 우리의 악덕이 너무 멀리까지 해를 끼치지 못하게 한다. 만약 우리가 환생마다 그 사람의 불행을 기억한다면, 그것은 수천 년 동안 그를 괴롭힐 수 있다. 그러나 각 환생이 끝날 때 모든 계정을 마감하는 지혜로운 계획 덕분에 다른 사람의 실수를 기억하는 해악은 끝이 난다. 다음 환생에서는 모두가 깨끗한 기록으로 다시 시작한다.

환생에 대한 반론 중 하나는 환생이 우리를 오랜 기간 동안, 심지어 영원히 갈라놓는 것처럼 보인다는 점이다. 그리고 우리가 이전에 알았고 사랑했던 사람들을 다시 만나더라도, 과거에 대한 기억이 없다는 점도 문제로 제기된다. 첫 번째 점에 대한 답변은, 이 분리는 전적으로 낮은 차원에서만 발생하며, 높은 차원에서 보내는 시간이 낮은 차원에서 보내는 시간보다 종종 스무 배에 달한다는 것이다. 물리적 차원에서는 분리가 불가피하다. 심지어 같은 집에서 함께 사는 사람들 사이에서도 그러하다. 평균적인 사람은 하루 대부분을 직장에서 보내고, 24시간 중 약 8시간을 잠을 자면서 보낸다. 실제로 대부분의 시간을 가족과 떨어져 지낸다. 그러나 높은 차원에서는 이러한 분리가 없으며, 진화의 전체 기간 중 대부분을 그곳에서 보낸다.

두 번째 점, 즉 우리가 지금 우리의 친구들이 이전에 알았고 사랑했던 사람들임을 알지 못한다는 점은 그렇게 중요한 문제가 아니다. 정말 중요한 것은 우리가 다시 그들을 만나게 된다는 사실이다. 과거에 우리가 강한 애정의 유대를 가졌다면, 이번 생에서 처음 만날 때 즉각적인 우정을 느낄 것이다. 강한 마음의 유대를 가진 사람들은 생애를 거듭하면서 매우 가까운 관계로 끌려 들어가는 것이 확실하다. 연구를 통해 영혼들이 남편과 아내, 부모와 자식으로 반복적으로 태어났다는 것이 관찰되었다. 이러한 가까운 관계의 가능성은 애정의 유대 강도에 달려 있다. 그러나 영혼들 사이에 진정한 유대가 없다면, 단순히 가족 관계를 가지고 있다는 사실만으로는 미래에 친밀한 관계를 보장하지 못한다. 두 영혼이 과거의 관계에서 비롯된 강한 유대를 가지고 있을 때, 그 환생을 기억하지 못하더라도 그 유대는 조금도 약해지지 않는다. 그러나 이는 거의 모든 삶에서 발견되는 과거의 갈등을 자비롭게도 감추어

준다.

이전 생을 기억하지 못하는 이유는, 물질적 차원에서의 인격이 영혼 전체의식의 일부분에 불과하다는 사실을 생각해보면 더 명확해진다. 우리가 정신세계에서 낮은 차원으로 내려올 때, 자아가 표현되는 각 더 거친 물질의 등급은 의식의 한계를 나타낸다. 아스트랄 차원에서는 여기서 어떠한 존재이든지 더 생생하게 살아있고 실제로 의식의 확장을 경험한다. 정신계에서는 여기보다 훨씬 더 큰 지혜를 가지며, 뇌의 지능으로는 현재 이해할 수 없는 수준의 의식 확장을 경험한다.

다르게 말하면, 자아는 실제로 환생하지 않는다. 자아는 단지 자신으로부터 한 줄기의 광선을 바깥으로 내보낼 뿐이며, 이는 마치 사람이 얕은 개울물에 손을 넣어 금을 얻기 위해 광석 조각을 모으는 것과 같다. 자아는 단지 손가락 하나만을 더 밀도 높은 물질에 넣어 지혜와 기술로 변환될 수 있는 일반적인 경험을 얻는다. 우리가 인격이라 부르는 자아의 그 손가락은 경험을 모은 후 다시 자아로 되돌아간다. 환생 동안 인격은 자아의 방대한 지능의 일부분만으로 생동하며, 그래서 자주 실수를 저지른다. 그러나 밀도 높은 물질에 가려져 있어 자아의 의식이 많이 전달되지 못한다.

자아와 인격의 관계는 뇌의 의식과 손끝의 의식 사이의 관계에 비유할 수 있다. 물론 둘 사이에는 큰 차이가 있다. 손끝은 볼 수도, 들을 수도,

맛볼 수도, 냄새를 맡을 수도 없으며 오직 촉각 하나만을 가지고 있다. 그러나 이 촉각도 일종의 의식이며, 경험을 얻고 그것을 뇌의 의식으로 전달할 수 있다. 예를 들어, 한 사람이 청중에게 강연을 하면서 테이블 위에 있는 어떤 물질을 본다고 가정해보자. 그것이 모래인지 설탕인지 구분할 수 없지만, 강연을 중단하지 않고 손끝으로 만져서 그 물질의 정체를 파악할 수 있다. 손끝이 정보를 얻어 뇌의 의식으로 전달하는 동안, 강연은 중단 없이 계속된다. 이와 마찬가지로, 우리의 진정한 자아의 삶은 고유한 차원에서 계속되며, 인격은 여기서 경험을 수확한다. 그 경험들 중 일부는 인격에게 고통스러울 수 있고, 이 세상에서는 비극처럼 보일 수 있다. 하지만 자아에게는 그저 지나가는 사건일 뿐이다. 방금 사용한 비유에서, 테이블 위의 물질이 모래나 설탕이 아니라 작은 유리 조각이라면, 날카로운 조각이 손끝을 찌르고 고통이 따를 수 있다. 손끝의 의식에게는 그것이 엄청난 고통의 섬광처럼 느껴질 수 있지만, 뇌의 의식에게는 사소한 사건일 뿐이다. 마찬가지로, 우리 대부분의 고통스러운 경험들은 진화 과정에서 유용한 역할을 하며, 자아의 의식에게는 사소한 사건에 불과하다.

인격은 자신의 일을 마치고 소멸하며, 이는 자아에 흡수되어 통합된다. 대부분의 사람들은 자신을 인격과 동일시하기 때문에 그 상실을 비극으로 여긴다. 하지만 자아가 진정한 '나'임을 이해하게 되면 그 감정은 더 이상 우리를 괴롭히지 않을 것이다. 자아와 인격의 관계를 성인과 아이의 관계에 비유할 수 있다. 어린 시절은 사라지지만 성인으로 통합된다. 성인의 관점에서 보면 그 변화는 만족스럽지만, 아이의 관점에서 보면 두려운 일처럼 보일 수 있다. 세 살 된 아들에게 "얘야, 언젠가 이 모든 아름다운 장난감들이 부서지고 사라질 것이며, 너의 작은 친구들도 더 이상 너를 보지 못할 것이다"라고 말하면 큰 고통을 줄 수 있다. 그의 제한된 아이의 의식에는 그것이 삶을 가치 있게 만드는 것들의 비극적인 파괴처럼 보일 것이다. 그러나 성인이 되었을 때 그는 그 초기의 사소한 것들을 웃으며 회상할 것이다. 어린 시절에 진정한 가치가 있는 것이 있다면, 그것은 성인기에도 지속될 것이다. 모든 사소하고 일시적인 것들은 사라질 것이며, 그는 그것이 사라진 것을 기뻐할 것이다. 왜냐하면 성인기는 인격의 진정한 삶이며, 자아는 진정한 자아이기 때문이다.

어린 시절의 기억이 성인의 뇌에 남아 있듯이, 수많은 환생의 기억은 인과체에 남아 자아의 영원한 소유가 된다. 우리가 물질적 차원에서 살면서 인과체의 수준으로 의식을 올릴 수 있을 만큼 충분히 진화했을 때, 일부 사람들이 지금 하고 있는 것처럼, 우리는 과거 생의 기억을 일시적으로 회복할 수 있을 것이다. 그러나 그 시기가 오면, 영혼은 그러한 더 넓은 지식을 자신이나 다른 사람에게 해를 끼치지 않고 사용할 수 있을 만큼 충분히 발전해 있을 것이다.

CHAPTER XIII. 대속(代贖)

대속(代贖)의 교리 이면에는 깊고 아름다운 자연의 진리가 숨어 있지만, 이는 이기적이고 잔인하며 거짓된 가르침으로 왜곡되었다. 그 본질적 진리는 태양 로고스, 즉 우리 체계의 신의 희생이다. 이 희생은 자신을 현상계의 물질 속에 제한하는 것으로, 그리스도와 다른 위대한 스승들의 희생에서 반영된다. 이들은 방대한 의식을 물리적 두뇌를 통해 세상을 돕는 데 사용한다. 이러한 초월적 존재들이 세속의 영역으로 내려오는 것에 비하면 단순한 육체적 죽음은 미미한 희생에 불과하다.

이 위대한 영적 존재들이 인류에게 준 도움은 우리가 이해할 수 있는 범위를 훨씬 넘어선다. 이러한 희생이 없었다면 인류는 현재의 진화 수준보다 훨씬 뒤떨어져 있었을 것이다. 그러나 이 희생이 인간의 영적 성장의 필요성을 없애거나 개인의 책임을 무효화한다고 주장하는 것은 잘못되고 위험한 교리이다. 그리스도에 대해 가장 깊은 감사와 경의를 표하는 이들이 바로 신지학자들이다. 또한 신지학자들은 각자가 스스로의 구원을 이루어야 한다는 성 바울의 가르침에 동의한다.

특별 창조에 대한 믿음은 우리 선조들이 자연에 대해 거의 알지 못했던 시기에 생겨났다. 당시 현대 과학은 태동하지 않았고, 미신이 서구 세계를 지배했다. 이제 우리가 자연의 진리를 알고, 창조가 끊임없이 진행되는 과정임을 깨달은 지금, 낡은 관념을 버리고 종교적 믿음과 과학적 원리를 조화시켜야 할 때이다.

실제 삶의 문제에 직면할 때, 특별 창조와 특별 구원의 옛 개념은 우리의 정의감과 일관성을 만족시키지 못한다. 우리는 직관적으로 삶의 현실과 조화되지 않는 믿음이 잘못되었음을 알고 있다. 특별 창조의 개념은 과학적 발견과 일치하지 않을 뿐만 아니라, 도덕적 발전을 위한 견고한 토대도 제공하지 못한다. 개인의 책임에서 자유로운 영혼의 특별 창조라는 잘못된 전제에서 출발했기에, 최소한의 정의를 갖추기 위해 특별 구원이라는 개념을 만들어내야 했던 것이다.

이 구원 계획의 가장 큰 문제점은 영혼의 개인적 책임을 부정하고, 어떤 죄를 저지르든 신과 자연에 대한 죄가 다른 이의 고통과 죽음을 믿는 행위만으로 용서될 수 있다고 가르친다는 점이다. 이는 한 사람의 잘못된 행동이 다른 이의 희생으로 보상될 수 있다는 해로운 교리다.

이러한 믿음이 중세를 넘어 오늘날의 더 명확한 사고의 시대에도 수백만 명의 신봉자를 갖고 있다는 사실은 정말 놀랍다. 하지만 사람들이 어린 시절에 배운 것을 이성적 사고 없이 받아들이고, 이후에는 그것을 더 이상 생각해보지 않은 채 막연히 확립된 사실로 여기는 것 같다.

그러나 조금만 생각해 보면 이것이 진실일 수 없음을 즉시 알 수 있다. 중국의 어느 외딴 지방에서 범죄로 유죄 판결을 받은 사람이 대리인을 고용해 자신 대신 형벌을 받게 할 수 있다는 관행이 아직 남아있다고 한다. 법은 희생자를 요구하고 그 권위는 지켜져야 한다고 주장한다는 것이다. 우리는 이를 비웃으며, 가족을 부양하기 위해 자신을 희생하는 불행한 대리인을 처벌하는 것이 범죄자를 개심시킬 수 없다는 것을 잘 알고 있다.

실제로, 범죄자가 자신의 죄에 대한 책임을 다른 이에게 전가하려는 의지는 그를 더욱 깊은 죄악 속으로 빠뜨릴 뿐이라는 것을 분명히 알 수 있다. 도덕적 강인함을 얻을 수 있는 유일한 사람은 바로 희생을 치르는 당사자뿐이다.

대리 속죄 제도가 보편화된다면, 이는 우리 사회의 정의 체계를 근본적으로 흔들 수 있다. 재력이 있는 범죄자들은 자신의 행위에 대한 책임을 회피할 수 있게 되어, 법의 공정성이 훼손될 것이다. 예를 들어, 살인자들은 돈으로 처벌을 피할 수 있고, 성공한 절도범들은 훔친 돈으로 자유를 살 수 있게 된다. 소매치기들은 대리인을 고용해 처벌을 대신 받게 하고 범죄 행각을 이어갈 수 있을 것이며, 횡령범들 역시 금전적 대가를 치르고 형벌을 면할 수 있게 된다.

이러한 제도는 부패한 이들을 보호하고 범죄자들이 법을 조롱하도록 만들어, 결국 정의의 가치를 훼손하게 된다. 범죄에 대한 보상을 제공하고 정직과 미덕을 억압하는 결과를 낳을 것이다. 더욱이, 이는 부정직한 이들의 도덕성을 더욱 악화시키고, 자신의 잘못을 타인에게 전가함으로써 사회의 도덕적 기준을 낮추게 될 것이다.

마지막으로, 이 제도는 개인의 책임 의식을 약화시킬 것이다. 개인의 책임감은 건전한 윤리의 근간이자 문명사회의 초석이다. 이를 훼손하는 것은 사회 전체의 도덕적 기반을 위협하는 일이 될 것이다.

특별 창조와 특별 구원의 개념은 대리 속죄와 밀접한 관련이 있다. 이 사상은 우리가 죄에 대한 책임이 없으며, 다른 이의 희생으로 우리의 잘못된 행동의 결과를 피하고 구원받을 수 있다고 가르친다. 그렇다면 우리는 무엇으로부터 구원받아야 할까? 바로 우리 자신으로부터 구원받아야 한다. 이기심, 악행을 저지르는 능력, 타인에게 고통을 주는 의지, 공감 능력의 부족, 그리고 자신의 안위를 위해 다른 이의 고통을 묵인하는 냉정함 등이 바로 그것이다. 진정한 구원은 천국을 누릴 수 있는 자격을 의미해야 한다. 타인의 고통을 대가로 자신의 행복을 추구하는 사람은 천국에 어울리지 않으며, 설령 그곳에 간다 해도 그 가치를 이해하지 못할 것이다. 자신의 죄를 타인에게 전가하고, 그 대가로 누군가가 고통받는 동안 자신은 비열한 행동의 결과를 즐기는 사람을 우리는 어떻게 봐야 할까?

대속을 통해 쉽게 천국에 들어가려는 이기적인 영혼들로 가득한 천국은 의미가 없다. 그것은 이기심의 낙원일 뿐, 진정한 천국이라 할 수 없다. 참된 천국은 오직 이기심을 극복한 영혼들로 구성되어야 한다. 자신의 행동의 결과를 회피하려 하기보다는 타인을 돕고자 하는 사람들, 정직하고 공정하며 관대한 사람들로 이루어져야 한다. 이러한 천국은 오직 개인의 책임을 인정함으로써만 도달할 수 있다. 그러나 특별 구원의 이론은 이러한 개인의 책임을 무시하고 부정한다.

반면 환생의 개념은 개인의 책임을 강조하며, 따라서 절대적 정의를 대변한다. 이는 우리의 현재와 미래의 행복이 과거와 현재의 행동에 따라 결정된다는 것을 보여준다. 환생에 대한 이해가 보편화된다면, 이는 사회의 도덕적 수준을 높이는 데 기여할 것이다. 악행을 저지르려는 이에게는 억제력이 되고, 자연의 법칙을 따르며 행복을 추구하는 이에게는 강력한 동기가 될 것이다.

환생은 우리가 자신의 행동으로부터 도망칠 수 없음을 보여준다. 우리는 자신이 행한 선악에 따라 형성된 환경과 관계 속에서 다시 태어나야 하며, 결국 자기 행동의 결과를 피할 수 없다는 것을 깨닫게 된다. 우리가 타인에게 가한 모든 고통과 모욕을 언젠가는 우리 스스로 겪어야 한다는 것을 이해하게 되는 것이다.

반면, 선한 의도와 올바른 욕망을 가진 이에게 환생은 희망을 준다. 모든 선행이 미래에 축복으로 돌아올 것이며, 우리가 도운 모든 이들이 언젠가 우리를 도울 것이라고 약속한다. 심지어 잘못된 판단으로 목적을 이루지 못한 선한 의도조차도 미래에 기쁨으로 보상받을 것이다.

모든 생각과 행동이 우리의 인격에 영구적인 가치를 더한다는 것을 깨닫는 것은 정말 놀라운 일이다. 우리가 삶에서 배우는 모든 것은 영원히 우리의 것이 된다. 마치 은행 계좌나 장기 투자처럼, 우리는 지적 능력, 통찰력, 연민, 지혜, 그리고 내적 힘을 확실하게 축적할 수 있다. 현재의 상황이 어떠하든, 우리는 더 강하고 현명하며 나은 모습으로 다음 생을 맞이할 수 있다.

환생의 개념은 우리 안에 내재된 신성을 보여주며, 잠재력이 현실로 구현되는 과정을 설명해준다. 이는 우리의 잘못을 타인에게 전가하는 비열한 사고방식 대신, 개인의 책임을 삶의 중심에 둔다. 이는 자기 발전의 윤리이자, 자기 신뢰의 도덕 체계이며, 자존감을 높이는 삶의 철학이다.

진정한 의미의 구원, 즉 우리를 진화시켜 더 나은 존재로 만드는 구원 체계의 실용성과 합리성에 대해 생각해보라. 이 체계는 우리에게 실수를 바로잡을 기회를 무한히 제공하며, 모든 잘못을 시정할 수 있는 가능성을 열어둔다.

이 관점에서 우리는 여러 생을 거치며 성장한다. 모든 적이 친구로 바뀌고, 모든 부채가 청산되며, 우리의 모든 잠재력이 꽃피울 때까지 계속된다. 우리의 지성이 천재성으로 발전하고, 연민이 무한한 자비로 승화되며, 마지막 도덕적 시련을 극복하고 승리할 때까지 우리는 이 순환의 여정을 계속한다. 이것이야말로 진정한 성장과 구원의 과정이 아닐까?

CHAPTER XIV. 우리가 만들어내는 힘

모든 인간은 끊임없이 세 가지 유형의 힘을 만들어낸다. 이 힘들은 우리의 현재 삶의 양상, 성공과 실패의 정도, 그리고 육체가 죽은 이후 내면의 의식 상태를 좌우한다. 환생의 법칙은 우리를 다시 태어나게 하지만, 우리가 여기서 진화하는 동안에는 행동과 반응의 법칙에 따라 움직인다.

우리가 생성하는 세 가지 유형의 에너지는 생각, 욕망, 그리고 행동이다. 이들은 각각 정신계, 감정세계, 물질세계에 속한다. 모든 사람은 끊임없이 생각하고 욕망하며, 다양한 강도로 이를 행동으로 옮긴다. 이렇게 생각, 감정, 행동의 세계로 방출된 힘들은 특정한 반응이나 결과를 낳는다. 우리는 정의가 실현되고 영혼이 진화의 교훈을 배울 때까지 이러한 결과에 얽매이게 된다.

오컬트를 연구하는 이들은 사고와 욕망이 전기처럼 실재하는 힘이라는 사실을 잘 알고 있지만, 세상은 아직 이 개념을 널리 받아들이지는 않고 있다. 그러나 인류 진보의 일반적인 패턴을 따르고 있다. 프랭클린이 전기에 대한 실험을 시작했을 때, 거의 아무도 그런 것이 존재한다고 믿지 않았지만, 오늘날 우리는 전기를 이용해 메시지를 전달하고, 기차를 운행하며, 기계를 작동시킨다. 만약 첫 실험 당시 누군가가 이러한 모든 것을 예측했다면, 그는 매우 어리석은 사람으로 여겨졌을 것이다. 세상이 특정 시점에 무엇을 받아들이거나 거부하는 것은 사실과 거의 관련이 없다. 일반 대중은 보통 반 세기 늦게 받아들이고 승인하는 경향이 있다. 사고가 힘이라는 사실이 없다면, 텔레파시와 최면술은 불가능할 것이다. 그러나 두 가지 모두 과학적으로 입증되었다.

우리의 정신체는 사고 과정을 통해 성장한다. 사고를 통해 생성된 에너지는 더 큰 사고 능력을 생산하는 데 반작용하여, 우리는 문자 그대로 우리의 정신 능력을 창조하게 된다. 사고의 활동은 정신체를 더 나은, 그리고 계속해서 더 나은 도구로 변화시켜 자아가 자신을 표현할 수 있도록 한다. 그러나 우리의 생각은 다른 사람들에게도 영향을 미치며, 우리는 그들과 연결을 맺어 결국 함께하는 경험 속에서 그 결과를 풀어나가야 한다.

욕망은 인간 진화의 드라마에서 매우 중요한 역할을 하는 일종의 에너지를 생성한다. 법칙은 욕망을 가진 사람과 그 욕망을 일으킨 대상을 함께 모이게 한다. 영혼은 욕망을 충족시킨 결과를 관찰함으로써만 그 욕망의 지혜를 판단할 수 있다. 이렇게 우리는 분별력을 얻게 된다.

보통 강한 욕망은 다양한 종류의 문제를 일으키지만, 욕망의 힘이 모든 진화를 추진한다. 경험을 통해 영혼은 결국 욕망을 통제하고, 낮은 욕망을 높은 욕망으로 승화시키며, 궁극적으로 비집착과 해방에 이르게 된다.

행동은 생각과 욕망의 물리적 표현이다. 우리는 끊임없이 생각하고, 욕망하며, 행동하기에 복잡한 결과를 낳는다. 삶의 다양한 경험 속에서 우리는 타인과 관계를 맺으며, 이는 먼 미래에까지 영향을 미칠 수 있다. 대부분의 사람들은 자신도 모르게 미래의 자아를 위해 인연의 씨앗을 뿌린다. 약간의 지혜만 있다면 피할 수 있는 고통과 슬픔을 무의식중에 쌓아가고 있다. 우리가 남에게 준 상처는 언젠가 다른 형태로 우리에게 돌아온다. 자연은 우리를 벌하지 않는다. 단지 가르칠 뿐이다. 자연의 궁극적인 목표는 모든 영혼의 성장이며, 교훈을 얻었다면 그 목적은 달성된 것이다.

우리가 현재의 삶에서 만들어내는 에너지는 다음 생과 그 이후의 삶을 형성한다. 우리의 인간관계, 가족, 직장, 국가 등 모든 것은 과거의 생각, 감정, 행동의 결과이며, 우리가 배워야 할 교훈들로 인해 결정된다. 우리의 부와 빈곤, 명성과 평범함, 강함과 약함, 지혜와 어리석음, 좋은 환경과 나쁜 환경, 자유와 제약 모두 과거의 선택에서 비롯된다. 이러한 결과를 피할 방법은 없다.

그러나 이것이 우리가 운명에 속박되어 있다는 뜻은 아니다. 우리는 스스로 만들어낸 에너지를 중화시킬 수 있고, 과거의 행동을 바로잡을 수 있다. 다만 한동안은 과거의 잘못된 선택으로 인한 제약 안에서 살아가야 할 뿐이다.

자유의지와 결정론에 관한 오랜 논쟁은 양측 모두 설득력 있는 주장을 펼치기에 많은 이들의 관심을 받아왔다. 한쪽 의견만 들으면 그것이 절대적 진리처럼 들리기도 한다. 이는 양측 모두 일면의 진실을 담고 있기 때문이다. 신지학적 관점에서 보면 자유의지와 필연성은 상호보완적이며, 이들 간의 모순은 해소된다. 우리는 일시적으로 제약받고 있지만, 그 제약은 과거에 우리가 자유롭게 선택한 욕망과 감정의 결과이다.

우리의 현재 상황을 알래스카 금광 탐사대에 비유해볼 수 있다. 탐사대원들은 북극 지방의 항해 시즌이 짧다는 것을 알고 있다. 마지막 배가 떠나면 다음 시즌까지 그곳을 벗어날 수 없다. 신중한 이들은 제때 착륙지에 도착하지만, 일부는 욕심에 눈이 멀어 하루 늦게 도착해 배를 놓친다. 그들은 자신의 선택으로 얼음왕국의 포로가 된다. 몇 달간 알래스카를 떠날 순 없지만, 그 안에서는 자유롭다. 시간을 허비할 수도, 공부하며 성찰의 시간을 가질 수도 있다. 제약 속에서도 자유가 있으며, 그 제약 자체도 스스로 만든 것이다. 우리의 현재 삶과 운명도 이와 같다. 우리가 만든 힘이 소진되면 자유를 얻게 되며, 그 과정에서 많은 개선이 가능하다.

우리의 행동에 대한 반작용은 공정하게 돌아온다. 이는 단순한 인과응보다. 때로는 가혹해 보이지만, 전체적으로 볼 때 자비와 공정성이 작용하고 있음을 알 수 있다.

자연이 어떻게 무모함을 교훈으로 바꾸는지 한 예를 들어보겠다. 담배를 피우고 불붙은 성냥을 아무 데나 버리는 사람이 있다고 가정해보자. 오랫동안 아무 일 없이 지나갈 수 있지만, 이는 분명 위험한 행동이다. 얼마 전 신문에서 이와 관련된 비극적인 사건을 보도했다. 한 남자가 길을 걸으며 불붙은 성냥을 무심코 던졌는데, 마침 지나가던 유모차의 아기 옷에 떨어져 불이 붙었다. 결국 아기는 심한 화상을 입고 다음 날 사망했다. 이는 우리의 무심한 행동이 어떤 결과를 낳을 수 있는지 보여주는 안타까운 예시이다.

이런 사례를 접하면 우리는 그 사람의 치명적인 부주의를 바로잡아야 할 필요성을 절감한다. 그의 행동은 주변의 생명과 재산에 위협이 된다. 하지만 법적으로 그를 제재하기는 어렵다. 그에게 범죄 의도는 없었지만, 이 사건은 그가 여전히 위험한 존재임을 보여준다. 우리가 그의 부주의를 직접 막을 순 없지만, 자연은 그렇지 않다.

인과응보의 법칙에 따라 그는 자신이 뿌린 씨앗의 열매를 거두게 될 것이다. 이번 생에서든 다음 생에서든, 언젠가 그의 부주의가 되돌아와 그 자신에게 고통을 안겨줄 것이다. 그때서야 그는 자신의 무모함이 어떤 결과를 낳는지 깨닫게 될 것이다. 이 과정에서 그는 자신을 바로잡는 데 필요한 경험을 얻게 되고, 그의 의식 속에 깊이 각인되어 부주의한 사람에서 신중한 사람으로 변화하게 된다. 이것이 그를 치유할 수 있는 유일한 방법이다.

일부는 과거 생의 잘못된 행동으로 인한 현재의 불행을 우리가 인식하지 못하기에 교훈을 얻을 수 없다고 말한다. 하지만 우리의 물리적 뇌가 기억하지 못할 뿐, 영혼은 알고 있으며 더 넓은 의식 속에 그 교훈이 새겨진다.

정의의 원칙은 영혼의 진화 과정에서 결코 어겨지지 않는다. 우리에게 다가오는 모든 것은 우리가 마땅히 받아야 할 것들이다. 때로는 불행해 보이는 일도 다른 관점에서 보면 법의 자비로운 작용일 수 있다.

그러나 어떤 이들은 "자비로운 법의 작용"이 어떻게 수십 명의 목숨을 앗아가는 극장 화재 같은 비극을 설명할 수 있느냐고 물을 수 있다. 특히 그 중 어린이들이 포함되어 있다면 더욱 그렇다. 신지학은 이런 상황을 어떻게 설명할 수 있을까?

영혼이 태어날 때 생성된다고 믿는 이들에게 이런 상황은 설명하기 어려운 난제일 것이다. 만약 신이 정말 영혼을 갓난아이의 몸에 처음

불어넣는다면, 왜 얼마 지나지 않아 그 영혼을 다시 데려가는 걸까? 그 의도는 무엇일까? 영혼이 출생 시 창조된다는 관점에서는 어린아이의 죽음을 이해하기 힘들다.

하지만 신지학적 시각으로 바라보면 다르다. 아이는 젊은 육체를 가진 오래된 영혼이다. 앞서 언급한 유모차 사고의 예시를 다시 생각해보자. 그런 부주의한 행동을 한 사람들이 다시 태어나 불타는 극장에서 자신들이 만들어낸 불행한 에너지의 결과를 겪게 되는 것이다.

그렇다면 왜 어떤 재난에는 그토록 많은 사람들이 연루되는 걸까? 사실 원칙은 관련된 사람의 수와 무관하다. 한 사람의 죽음에서 정의를 발견할 수 있다면, 수백 명의 죽음에서도 같은 정의를 볼 수 있다. 이는 일종의 집단 학습이라고 볼 수 있다. 비슷한 카르마를 가진 사람들이 함께 모여 경험하는 것이다.

우리는 종종 현상의 일부분만을 보고 판단을 내린다. 그러나 이는 불완전한 관찰에 기반한 것일 수 있다. 예를 들어, 한 남자가 길을 걷다가 모퉁이를 돌자마자 작은 비극을 목격했다고 가정해보자. 한 젊은이가 땅에 쓰러져 있고, 두 사람이 그 위에 서 있는 상황이다. 갑자기 이 장면을 본 평범한 사람은 어떻게 반응할까? 아마도 분노하며 "폭력배들!"이라고 외치며 쓰러진 사람을 돕고 싶어할 것이다. 그러나 만약 그가 조금 일찍 도착했다면, 그는 그 남자가 무방비한 여성을 공격하고,

그녀를 밀치고, 지갑을 빼앗아 도망치는 모습을 보았을 것이다. 다행히 도 그 남자는 그를 제지한 사람들 쪽으로 도망쳤다. 만약 처음부터 이 모든 상황을 목격했더라면, 그는 도둑이 당연한 처벌을 받은 것이라고 생각했을 것이다. 이처럼 우리가 재난이라 부르는 사건에 대한 물리적 차원의 불충분한 관찰은 부정의를 포함한 것처럼 보일 수 있다. 하지만 이는 우리가 전체 사건을 보지 못하기 때문이다.

인간 운명의 숨겨진 법칙을 이해하면 더 빠른 성장과 의미 있는 삶을 살 수 있다. 그러나 이를 위해서는 먼저 그러한 법칙이 실제로 존재한다는 것을 인식해야 한다. 많은 이들은 그들의 행동에 필연적인 결과가 따른다는 것을 믿지 않거나, 설령 그런 법칙이 있더라도 피할 수 있다고 생각한다. 그래서 그들은 이기적이고 무심하게 행동하며, 거짓말하고, 험담하고, 적대감을 품는다. 그러다 결국 그들이 뿌린 씨앗의 열매를 거두게 되면, 그저 불운이라 여기고 또다시 같은 실수를 반복한다.

우리의 일상을 지배하는 법칙은 태양계의 운행을 지배하는 법칙만큼이나 확실하다. 작용과 반작용의 법칙은 중력의 법칙처럼 불변하고 정확하다. 우리는 단지 이를 의식하지 않은 채 살아갈 뿐이다.

자연법칙의 불변성과 그 완전히 비인격적인 측면에는 일종의 두려움이 깃들어 있다. 이 법칙들은 우리가 선악이라 부르는 개념과는 무관한 힘의 작용일 뿐이며, 그저 존재할 뿐이다.

중력의 법칙을 예로 들어보자. 이 법칙은 개인의 성격이나 동기를 전혀 고려하지 않는다. 선인이든 악인이든 모두를 지구에 붙들어 두며, 우리와 함께 우주를 돌고 있다. 만약 성인과 악인이 절벽에서 떨어진다면, 중력은 둘 다 공평하게 아래로 끌어당길 것이다.

방금 살인을 저지른 악인이 성인보다 더 조심스러워 절벽을 피했다고 해서, 법칙이 그를 편들었다고 볼 수는 없다. 그는 단지 나쁜 도덕성에도 불구하고 자신의 주의력 덕분에 그 결과를 얻은 것뿐이다. 성인이 방금 자비로운 행동을 하고 왔다 해도 중력의 법칙은 이를 고려하지 않는다. 그가 절벽에서 떨어져 죽었다면, 그것은 단순히 부주의에 대한 대가일 뿐이며 그의 선행과는 무관하다.

"하나님은 사람을 외모로 취하지 아니하시느니라"라는 말씀에는 깊은 지혜가 담겨 있다. 모든 자연법칙은 신의 뜻의 표현이기 때문이다.

그러나 자연법칙의 불변성은 자세히 들여다보면 전혀 두려운 것이 아니다. 오히려 그 불변성 속에 신의 은혜와 자비가 숨겨져 있다. 변치 않는 법칙의 일관성 덕분에 우리는 절대적인 확실성으로 결과를 예측하고 목표를 달성할 수 있다. 악행이 고통을 가져오고 선행이 행복을 가져다준다는 확실성 덕분에 우리는 상황을 통제하고 운명을 결정할 수 있다.

왜 정신적, 도덕적 영역에도 이러한 법칙이 작용해야 할까? 그것은 우리가 진화하기 위해서다. 우리는 무지에서 지혜로, 이기심에서 자비로, 잘못된 행동에서 완전한 무해함으로 변화해야 한다. 원인과 결과의 법칙, 즉 의로운 행동은 기쁨을, 악한 행동은 고통을 가져오는 작용과 반작용의 법칙 없이는 그것이 가능할 수 없다. 이러한 법칙 아래에서만 우리는 무엇이 옳고 무엇이 잘못된 것인지 배울 수 있다. 우리가 영혼이라고, 진화가 사실이라고, 완전함이 인류의 목표라고 동의한다면, 원인과 결과의 법칙의 필요성은 중력의 법칙만큼이나 명백하다.

이 원인과 결과의 법칙의 존재와 작용은 기독교 성경에서도 반복적으로 언급된다. "너희가 남에게 대접하고자 하는 대로 너희도 남을 대접하라"는 명확한 표현이다. 잠언에서는 "구덩이를 파는 자는 그 속에 빠질 것이요, 돌을 굴리는 자는 그것이 그에게로 돌아오리라"는 선언을 볼 수 있다. 물론 이 언어는 비유적 표현이다. 상식이 있는 작가라면 작업자가 구덩이를 팔 때마다 그 안에 빠질 것이라고 주장하지 않을 것이다. 우리가 다른 사람의 인격을 허위 이야기로 훼손할 때, 우리는 도덕적 세계에서 구덩이를 파는 것이며, 그러한 구덩이에 우리는 법칙의 반작용으로 빠지게 될 것이다. 우리는 질투와 증오의 돌을 굴렸고, 그것들은 반작용으로 우리를 실패와 굴욕으로 짓누를 것이다. 우리는 성공과 행복을 위해 이 법칙을 사용할 수 있었음에도 불구하고 무지하게 악한 힘을 생성한 것이다.

"비판하지 말라, 그리하면 너희도 비판받지 아니하리라"는 원인과 결과의 법칙에 대한 또 다른 진술이다. 이는 우리가 자격이 없어서거나 무지하게 다른 사람을 잘못 판단할 수 있기 때문에 비판하지 말라는 의미가 아니다. 다른 사람을 판단하면 우리도 판단 받게 된다는 명확한 진술이다. 우리가 비판하면 비판받을 것이다. 다른 사람의 결점과 실패를 비난하면 우리도 비난받을 것이다. 우리가 너그럽고 관대하며 다른 사람의 결점을 묵인하면, 우리도 다른 사람들로부터 관대하게 여겨질 것이다.

이 주제를 연구하는 모든 사람은 일상생활에서 이러한 성경적 선언의 진실을 증명하는 증거를 발견한다. 우리는 분노가 분노를 유발하고, 화해가 양보를 얻어내며, 보복이 갈등을 지속시킨다는 것을 너무도 잘 알고 있다. 반박은 또 다른 반박을 불러오지만, 침묵은 평화를 회복시킨다. 이러한 작은 일들에서는, 보통 문제의 양쪽 당사자 중 어느 쪽이든 자제력만 있으면 혼란 대신 평화를 유지할 수 있다. 그러나 더 큰 사건들에서는 항상 그렇지는 않다. 그것들은 종종 우리가 더 이상 수정할 수 없는 과거에 생성된 원인의 결과이기 때문에, 우리의 즉각적인 통제 범위를 벗어난다. 그리고 이것이 원인과 결과의 법칙에 대한 더 넓은 시각을 갖게 해준다.

개인의 생애를 출생부터 죽음까지 살펴보면, 서로 논리적으로 연결되지 않은 것처럼 보이는 놀라운 사건들의 기록이 나타난다. 어린 시절에는 성격의 특성을 고려하지 않고도 큰 행복이나 큰 슬픔과 고통이 있을 수 있으며, 현재의 삶에서 이를 설명할 수 있는 것이 아무것도 없다. 아이 자체는 온순하고 애정이 넘칠 수 있지만, 심한 학대와 잔인한 오해를 받을 수도 있다. 성인이 되었을 때는 더욱 큰 미스터리를 마주하게 된다. 언제나 성공과 실패, 기쁨과 고통이 뒤섞여 있다. 하지만 이를 분석해보면 만족스러운 이유를 찾을 수 없다. 때로는 아무런 이유 없이 성공이 찾아오는데, 이를 설명할 합리적인 이유가 없어서 우리는 이를 "행운"이라고 부른다. 반면, 사람이 최선을 다하고 모든 계획이 건전한 사업 절차를 따르고 있음에도 불구하고 실패가 연이어 찾아오는 경우도 있다. 다시 논리가 통하지 않아 우리는 이를 "불운"이라고 부른다.

행운이라는 단어는 우리가 법칙의 작용을 추적할 수 없는 무지와 무능을 감추기 위해 사용하는 단어다. 야만인에게 아침 신문 몇 분만으로 어제 런던에서 일어난 일을 어떻게 알 수 있는지 설명해보라고 하면 어떨까? 그는 기자, 케이블, 인쇄소에 대해 아무것도 모른다. 이를 설명할 수 없고, 이해조차 할 수 없다. 하지만 만약 그가 허영심이 가득한 야만인이라 자신의 무지를 인정하고 싶지 않다면, 우리가 알 수 있는 이유가 행운 때문이라고 진지하게 주장할 수도 있다. 그리고 그는 우리가 사용하는 것처럼 현명하게 그 단어를 사용할 것이다!

만약 우리가 운을 우연이라고 정의한다면, 이 세상에는 그런 것은 존재하지 않는다. 우연이란 혼돈과 법칙의 부재를 의미하기 때문이다. 백만 개의 태양과 그들의 세계 체계가 장엄하게 우주를 가로지르며 움직이는 것에서부터 원자의 모든 전자에 이르기까지, 우주는 법칙이 어디에나 존재함을 웅장하게 선언하고 있다. 이는 원인과 결과의 거대한 파노라마이며, 우연이라는 것은 존재하지 않는다.

그렇다면 행운이란 무엇일까? 우리는 사람들이 겉보기에는 자격이 없어 보이는 혜택을 받는다는 것을 알고 있다. 결과 없이 원인이 있을 수 없는 것처럼, 그들은 과거 생에서 조건이 즉각적인 결과를 허락하지 않았을 때 선한 힘을 발휘하여 그것을 쌓아온 것이다. 자연은 이제야 그 빚을 갚고 균형을 맞추고 있는 것이니다. 어떤 이의 특정 행동이 보상을 받는 경우일 수도 있고, 또 다른 이는 진화의 단계에서 더 이상 자신을 위한 것을 원하지 않는 지점에 도달해 오히려 자연이 선물을 안겨주는 경우일 수도 있다. 그는 진화의 법칙, 즉 신의 계획과 조화를 이루었기에 자연은 아무것도 아끼지 않는다.

우연을 배제한다면, 우리는 현재 삶에서 설명할 수 없는 행운이나 불운의 원인을 과거 생에서 찾을 수밖에 없다. 현재 삶에서 원인을 찾을 수 없는 결과들이 있기 때문이다.

우리의 존재가 태어날 때 시작되었다는 좁은 시각에서 벗어나면, 우리를 둘러싼 모든 수수께끼가 풀리고, 자연법칙을 통해 모든 것을 논리적으로 설명할 수 있게 된다. 왜 어떤 이는 좋은 두뇌를 가지고 태어나고 다른 이는 그렇지 못할까? 한 사람은 과거 생에서 열심히 삶의 문제를 해결하려 노력했고, 다른 이는 그저 즐기기만 했기 때문이다.

왜 어떤 이는 어려운 상황에서도 평온을 유지하는 반면, 다른 이는 사소한 일에도 쉽게 화를 내고 지치는 걸까? 한 사람은 오랜 기간 자기 통제를 연습했고, 다른 이는 그런 생각을 해본 적이 없기 때문이다. 왜 어떤 이는 타인을 배려해 보편적인 사랑과 존경을 받고, 다른 이는 자기중심적이라 진정한 친구를 만들지 못할까? 다시 말해, 과거의 경험이 이를 설명한다. 한 사람은 운명의 법칙을 공부하고 그에 따라 살았고, 다른 이는 아직 그런 법칙의 존재조차 모르고 있는 것이다.

태어날 때 영혼이 생겨난다는 옛 관념을 넘어, 우리가 여러 생을 거쳐 왔다는 새로운 과학적 시각을 받아들이면 많은 의문이 해소된다. 누군가가 겉보기에 부당한 행운을 누릴 때 더 이상 의아해하지 않을 수 있다. 그가 이전 삶에서 그 결과를 만들어낼 힘을 발휘했음을 알기 때문이다. 마찬가지로, 겉보기에 이유 없는 불행도 더 이상 수수께끼가 아니다. 과거에 그 원인을 만들었다는 것을 이해하기 때문이다.

한 번의 생애는 영혼의 전체 진화 과정에서 하루와 같다. 하루가 밤으로 구분되지만 모든 날이 행동으로 이어지듯, 생애도 사후의 휴식기로 나뉘지만 모든 생애는 생각과 행동으로 연결된다. 청년기의 행동이 노년에 영향을 미치듯, 지난 생의 행동이 현재의 삶에 영향을 준다. 이 둘은 본질적으로 다르지 않다. 현재의 우리가 과거를 만들어가듯, 지금 우리는 다음 생을 형성하고 있다.

우리의 현재가 과거의 결과라는 진리를 완전히 이해하려면 영혼과 육체의 관계를 명확히 알아야 한다. 각 생의 육체는 영혼의 도덕성, 지혜, 순수함 등을 물질적으로 표현한다. 마치 얼굴이 한 사람의 생각과 감정을 나타내는 것과 같다.

의식의 변화는 물질에 기록된다. 기쁨이나 분노 같은 감정이 얼굴에 드러나는 것은 누구나 알 수 있는 일시적인 변화이다. 그러나 시간이 지나면서 의식의 지속적인 영향은 물질을 영구적으로 형성한다. 밝은 성격의 사람은 자비로운 얼굴을, 우울한 성향의 사람은 어두운 얼굴을 갖게 된다.

우리는 다른 이의 영혼을 직접 볼 수 없지만, 밝고 평화로운 영혼과 그렇지 않은 영혼을 구별할 수 있다. 이는 의식이 물질을 형성하기 때문이다. 하지만 이는 표면적인 징후에 불과하다. 의식은 끊임없이 물질에 영향을 미치며, 그 대부분은 우리 눈에 보이지 않는다.

우리의 지능, 외모, 신체 상태 모두 의식 활동의 결과이다. 육체의 세세한 특징과 형태는 우리가 과거에 생각하고 행동한 것들이 물질에 기록된 것이다.

신체 기형 같은 구체적인 사례를 생각해보면, 그것이 왜, 어떻게 발생했는지 이해할 수 있다. 만약 과거 생에서 누군가가 의도적으로 타인에게 잔인했고, 그로 인해 큰 정신적, 감정적 고통을 겪었다면, 그가 희생자에게 가한 상해의 심상이 자신에게 재현되는 것은 전혀 놀랄 일이 아니다.

백치의 경우, 겉보기에는 단순히 뇌가 왜곡되어 의식이 제대로 작용하지 못하는 것처럼 보인다. 이러한 물리적 뇌의 왜곡이 과거 생의 잔인한 행위에 대한 강렬한 반작용의 결과일 수 있지 않을까? 잔인할 수 있는 의식은 세상을 왜곡되게, 균형을 잃고 바라본다. 그렇지 않다면 잔인해질 수 없다. 의식의 이러한 왜곡은 필연적으로 물질에도 상응하는 왜곡을 일으킨다. 몸은 의식의 충실하고 정확한 반영이기 때문이다.

손금 읽는 사람이나 골상학자가 때로 놀라울 정도로 정확한 성격 묘사를 할 수 있는 까닭은 신체가 의식의 진실하고 정확한 물질적 표현이기 때문이다. 손과 머리에 기록된 정보를 읽을 수 있는 사람들에게는 그 기록이 분명하게 보인다.

여러 생애에 걸친 이 넓은 인생 여정의 관점은 우리가 직면한 어려움과 우리를 괴롭히는 한계에 대해 전혀 다른 시각을 가지게 한다. 이는 외견

상의 불공정함 속에서도 모든 이에게 완벽한 정의가 실현되고 있음을 말해준다. 모든 행운은 노력의 결과이며, 모든 불운은 응당한 것이다. 우리 각자는 정신적으로, 도덕적으로 자신이 만들어온 결과이다.

메이스필드는 이를 이렇게 표현했다:

> 내가 올바르게 생각하고 행하는 모든 것,
> 만들거나 망치거나 축복하거나 저주하는 모든 것은
> 과거의 게으름이나 노력에 대한
> 정당한 저주 혹은 축복의 결과라네.
>
> 내 삶은 방종했거나 극복한
> 악덕의 총합을 보여주는 표현이라네.
>
> 여정을 이어갈수록
> 나는 도움받고 치유받고 축복받으리라.
> 따뜻한 말들이 위로가 되고 자극이 되어
> 아직 알지 못하는 높은 곳으로 나를 이끌리라.
>
> 내가 걸어갈 길은 내가 만든 길.
> 내가 준 모든 것은 되돌아오리라.

이보다 더 공정한 계획이나 더 영감을 주는 진리를 들어본 적이 있을까? 모든 노력이 지적 능력을 향상시켜 준다는 생각은 확실히 만족스럽다. 다른 사람에 대한 모든 친절한 생각이 필요할 때 우리 자신을 보호하는 방패가 된다는 것도 마찬가지다. 모든 애정의 충동이 우정의 사랑으로 성숙해간다는 것, 모든 고귀한 생각이 영웅적인 성품을 형성하여 어느 미래에 우리가 다시 돌아와 인간 세계에서 더 고귀한 역할을 수행할 것이라는 생각 역시 그렇다.

CHAPTER XV. 초물리학적 진화

진화의 개념을 받아들인다면 초자연적인 진화의 결론을 피할 수 없다. 인간이 신을 제외하고 우주에서 가장 높은 지능이라는 믿음은 진화의 사실과 원칙과 완전히 모순된다. 진화는 내면에서부터 계속 펼쳐지는 과정이며, 진화에 한계를 두는 것은 우리 감각의 한계 때문일 뿐이다. 우주의 위대한 생명은 무수한 형태와 수많은 발전 단계로 자신을 표현한다. 그 중 하나가 인간이다. 우리의 의식이 현재 단계까지 진화해 왔다면, 진화한 만큼 더 높은 단계로 나아갈 것이 분명하다.

자연의 표현 방법은 분명히 질서 있는 단계적 진화이다. 인간으로부터 내려오는 연속적이고 끊기지 않은 생명의 선은 동물, 파충류, 곤충, 미생물에 이르기까지 이어진다. 생물학자가 생명을 나누는 거대한 왕국들도 거의 감지할 수 없을 정도로 서로 희미해지며, 식물계가 끝나고 동물계가 시작되는 지점을 말하기 어려워진다. 인간으로부터 내려오는 연속적인 생명의 사슬이 있는 것처럼, 그것은 또한 인간 위로 올라가 궁극의 존재에 합쳐질 때까지 이어져야 한다. 진화의 상위 단계와 하위 단계가 반드시 존재해야 한다. 인간은 진화의 사슬에서 하나의 고리일 뿐이며, 인간 수준은 의식이 완전히 개별화되어 자신을 되돌아보고 내면의 과정을 연구할 수 있는 지점이다.

서구 문명의 사고는 슬프게도 물질주의에 속박되어왔다. 손으로 잡을 수 있는 것 이상을 생각할 엄두를 내지 못했다. 물리적 감각이 탐구의 최전선이었다. 보거나 듣거나 느낄 수 없는 것은 존재하지 않는 것으로 여겨졌다. 현대 과학은 물질 우주를 탐구하고 그 방법을 완성시켜 광대한 세계의 파노라마를 면밀하게 연구할 수 있게 되었으며, 그 무한한 범위와 엄청난 장엄함을 어느 정도 이해할 수 있게 되었다. 그러나 물질 과학은 물질의 본질에 대한 최종적인 말이 이미 이루어졌다고 가정하는 놀라운 실수를 저질렀다. 그러다가 물질에 대한 기존의 견해를 혁명적으로 뒤집는 놀라운 발견이 나타났다. 이는 불가분하다고 여겨졌던 원자가 미니어처 우주, 즉 작은 힘의 우주임을 증명했다. 물질에 대한 옛 이론들은 폐기해야 했다. 그것들은 지구가 평평하다는 믿음만큼이나 시대에 뒤떨어진 것이었다. 기술적인 표현을 벗겨내면 수정된 물질 관점은 본질적으로 물질이 생명의 가장 낮은 표현이라는 것이며, 이제 현대 과학은 우주의 생명 측면에 대한 연구에 뒤늦은 관심을 돌리고 있다. 그렇게 하는 순간, 일관성의 감각과 대응의 법칙은 우리로 하여금 인간이 곤충보다 위에 있는 것처럼, 인간보다 위에 있는 지능의 단계를 가정하게 한다.

과학적 사고는 초자연적인 존재의 존재가 본질적으로 합리적이라는 점을 즉각 받아들인다. 에너지에 대한 글에서 니콜라 테슬라는 다음과 같이 말했다:

"우리는 영양분 없이 살며 생명 기능을 수행하는 데 필요한 모든 에너지를 주변 환경에서 얻는 조직화된 존재를 상상할 수 있습니다. 존재할 수 있는 개별화된 물질 시스템, 아마도 가스로 구성된 존재나 더욱 희박한 물질로 이루어진 존재들이 있을 수도 있습니다. 이러한 가능성, 아니, 확률을 고려할 때, 단지 우리가 생각하는 생명 존재 조건에 맞지 않는다고 해서 어떤 행성에서 조직화된 존재의 존재를 단언적으로 부정할 수는 없습니다. 그들 중 일부가 우리 세계, 바로 우리 주변에 존재하지 않는다고도 확신할 수 없습니다. 그들의 구성과 생명 현상이 우리가 인식할 수 없는 방식일 수 있기 때문입니다."

과학의 대부로 불렸던 알프레드 러셀 월리스는 그의 최신 저서 중 하나에서 다음과 같이 썼다:

"나는 인간과 궁극적인 신 사이에 거의 무한한 수의 존재들이 우주에서 일하고 있으며, 지구에서 우리가 수행하는 것만큼이나 명확하고 중요한 임무를 수행하고 있다고 생각합니다. 나는 우주가 영혼, 즉 우리의 능력과 의무와 유사하지만 훨씬 더 광대한 지능적 존재들로 가득 차 있다고 상상합니다. 인간으로부터 위로, 앞으로 점진적인 상승이 있다고 생각합니다."

과학자는 아직 절대적으로 결론적인 증거가 부족하기 때문에 초인들이 존재할 가능성이 합리적이고 높다고 주장하는 데 그치지만, 오컬티스트는 이를 자신의 개인적 지식으로 사실이라고 주장한다. 그래서 우리는 오컬티스트의 직접적인 증언, 과학자들의 가능성에 대한 지지, 그리고 아마도 가장 중요한 것은 이 아이디어의 본질적인 합리성을 가지고 있다.

초인, 혹은 위대한 영적 계층과 인류의 관계는 교사, 수호자, 그리고 지도자의 관계이다. 그들은 인간의 진화를 감독한다. 그러나 이것이 영매들이 자주 사용하는 "영적 안내자"라는 용어로 표현되는 관계와는 전혀 다르다. "영적 안내자"는 특정 인물에게 직접적인 지시나 명령을 내리는 존재를 의미하는 것처럼 보이지만, 만약 우리가 모두 그렇게 통제되고 지시받는다면 자유의지는 어떻게 될까? 진화는 우리가 삶의 문제에서 주도적으로 행동할 때만 진행될 수 있다. 다른 이들의 지혜와 의지에 의해 지시된다면 우리는 전혀 진화하지 못할 것이다. 우리는 단지 다른 이들에 의해 조종되는 자동 기계가 될 것이며, 그들이 아무리 위대하더라도 우리는 판단력과 자립심을 결코 발전시킬 수 없을 것이다. 위대한 영적 계층은 이런 방식으로 인간의 진화를 지도하지 않는다. 그들은 인류 전체와 협력하며 정신적, 도덕적 힘을 발휘하여 내면의 잠재된 영적 힘을 자극한다. 또한 명령이 아닌 이상을 제시함으로써 인류를 지도한다. 다른 방향으로는 실제 감독, 행정, 교육을 통해 개인의 주도성이나 의지를 침해하지 않는다. 영혼이 진화하려면 자유, 심지어 실수를 할 자유도 필요하다.

때때로 초인이 존재한다면, 왜 그들이 세상에 나와 그 존재를 명확히 증명하지 않는지 묻는 사람들이 있다. 그들은 초자연적인 힘을 보여주어 세상을 신속히 설득할 수 있다고 지적한다. 그러나 초인들은 아마도 자신들의 존재를 설득하는 데는 전혀 관심이 없을 것이다. 그들은 도덕적 수준을 높이는 데 관심이 있지만, 그런 전시는 사람들을 도덕적으로 더 나아지게 하지 않을 것이다. 초인들의 작업은 물리적 차원보다 더 높은 차원에서 가장 잘 이루어진다. 특별한 작업을 위해 물리적 몸을 취하는 극소수의 초인들은 은둔 장소에서 작업을 수행하는 것이 가장 좋다. 때때로 그들이 현대 문명의 혼란한 진동 속으로 나와야 할 이유가 있다면, 일반 관찰자에게 그들이 다른 사람들과 눈에 띄게 다르지 않다는 것은 쉽게 이해할 수 있다.

모든 세계 종교는 영적 계층에서 비롯된다. 그렇다면 "왜 그렇게 큰 차이가 있는가?"라는 질문이 생길 수 있다. 이는 종교가 주어진 민족들이 크게 다르기 때문이다. 동양과 서양의 기질과 관점의 차이는 엄청나다. 우리는 외적, 객관적 측면에서 진화하고 있으며, 우리의 문명은 자연의 물질적 정복을 나타낸다. 그들은 내적, 주관적 측면에서 진화하고 있다. 동양에서의 일반적인 대화 주제는 철학적이지만, 서양에서는 상업적이다. 이러한 다른 유형의 마음은 약간 다른 윤리적 진술을 필요로 하지만, 모든 종교의 근본 원칙은 동일하다.

인류 진화의 새로운 시대가 시작될 때, 세계 교사는 자발적으로 현신하여 새로운 시대의 요구에 맞는 종교를 창시한다. 인류는 결코 혼자 방황하지 않는다. 이해하고 활용할 수 있는 모든 것이 다양한 종교를 통해 가르쳐진다. 세계 교사들, 즉 인류의 그리스도와 구원자들은 인류가 존재하기 시작한 이래 적절한 시기에 나타나 왔다.

대부분의 독자들은 약 2000년 전에 그리스도로 알려진 세계 교사가 와서 종교를 창시했다는 것에 동의할 것이다. 왜 그렇게 생각할까? 그들은 하나님이 세상을 너무 사랑하셔서 그의 아들, 그리스도를 보내어 빛과 생명을 주셨다고 답한다. 만약 그것이 사실이라면, 그리스도나 그의 선구자들이 이전에도 여러 번 왔다는 결론을 피할 수 없다. 그가 단 한 번 왔다는 믿음은 창세기를 역사로, 그리고 지구의 나이를 약 6000년으로 잘못 이해하는 것과 일치한다. 과학은 지구의 정확한 나이를 결정하지 않았지만, 지구가 매우 오래되었다는 것은 알고 있다. 많은 저명한 과학자들이 천문학, 지질학, 고고학에서 배운 모든 것을 고려하여 대략적인 추정을 했다. 지질학자 필립스는 층상암의 퇴적에 필요한 시간을 기준으로 지구의 최소 나이를 3800만 년, 최대 나이를 9600만 년으로 계산했습니다. 조지 다윈 경은 천문학적 데이터를 기준으로 지구의 최소 나이를 5600만 년으로 추정했다. 졸리는 바다의 나트륨 함량을

산출하는 데 필요한 시간을 계산하여 지구의 나이를 8000만 년에서 1억 년 사이로 결론지었다. 솔라스는 이 문제를 신중히 연구하여 최소 나이를 8000만 년, 최대 나이를 1억 5000만 년으로 추정했다. 그러나 아마도 가장 철저한 연구는 프랑스 과학자 보슬러에 의해 이루어졌다. 그는 암석의 방사능을 기준으로 계산하여 지구의 최소 나이를 7억 1000만 년으로 추정했다. 이처럼 우리의 지식이 증가함에 따라 지구의 추정 나이도 증가하고 있다.

이러한 사실들 앞에서, 하나님이 약 2000년 전에 무지한 인류를 돕기 위해 그의 아들을 보냈지만 그 전에는 그렇지 않았다는 주장은 어떻게 되는 걸까? 그 이전에 살고 죽은 수억 명의 사람들은 어떻게 되나? 하나님은 그들을 전혀 돌보지 않으셨나? 하나님이 인류를 단 2000년 동안만 돌보고 수백만 년 동안은 무시하셨다는 것인가? 지구의 나이에 비하면 2000년은 인간의 평범한 삶의 한 시간도 되지 않는다. 하나님이 그의 큰 자비로 단지 그 짧은 기간 동안만 한 명의 세계 교사를 보냈다고 믿는 사람이 있을까? 만약 한 아버지가 그의 아이에게 평생 동안 단 한 시간만 할애하고 그 전후로는 완전히 무시했다면 우리는 그를 어떻게 생각할까? 그리스도가 오기 전에 살고 죽은 무수한 수많은 사람들은 우리와 매우 비슷했다. 그들은 종종 우리의 문명을 능가하는 여러 특성을 가진 고대 문명에 속해 있었다. 그들은 그 시대와 방식에 따라 교육받고 교양을 갖추고 있었다. 그들은 우리와 같은 마음의 유대를 가진 아버지와 아들, 어머니와 딸, 남편과 아내였다. 그들은 어떻게 되었을까?

그들은 교사나 한 줄기 빛도 없이 도덕적 황야에서 헤매도록 내버려졌을까? 물론 이런 생각은 터무니없다. 하나님이 세상을 너무 사랑하셔서 2000년 전에 그의 아들을 보내셨다면, 그 이전에도 여러 번 보내셨을 것이다. 같은 이유로, 그는 다시 올 것이다. 이러한 결론에서 벗어나는 유일한 논리적 방법은 그가 전혀 오지 않았다는 물질주의자의 믿음뿐이다.

모든 종교는 시간이 지나면 결정화되고, 물질화되며, 영적 의미를 잃는다. 이는 현대 세계의 여러 큰 종교들 - 기독교를 포함한 - 에게 정확히 일어난 일이다. 그것은 더 이상 사람들의 삶에서 역동적이지 않다. 그래서 세계 대전이 가능했던 것이다. 문제는 그리스도의 가르침에 있는 것이 아니다. 문제는 세상이 그 가르침대로 살지 않았다는 데 있다. 우리는 현대 생활의 용어로 다시 진술된 옛 가르침이 남성들의 삶에서 다시 살아있는 힘이 되도록 해야 한다. 세계 교사가 가장 필요할 때 그가 온다. 그리고 지금보다 더 큰 필요가 있었던 시간이 있었나? 세계 대전은 소위 기독교 문명의 실패를 입증했다. 우리는 그 문명의 최고 유형이 정글의 법으로 되돌아가고, 문명화된 전쟁의 관습을 고의로 무시하며, 야만인도 부끄러워할 만한 잔혹행위를 저지르는 것을 보았다. 기독교가 영적 계층이 기대했던 모든 것을 이루지 못했다는 것과 그리스도의 재림이 필요하다는 것을 더 이상 증명할 필요는 없을 것이다.

하지만 영적 계층은 세계가 들을 준비가 되었을 때, 때가 무르익었을 때만 그들의 위대한 대사들을 보낸다. 아마도 그러한 사건은 시간의 개념보다는 조건에 의해 예측될 수 있을 것이다. 국가들의 힘이 소진되고, 희생된 이들의 수가 엄청나게 늘어나고, 모든 가정이 끔찍한 희생을 겪을 때, 인류의 마음이 고통으로 가득 찰 때, 기근과 질병이 그들의 무서운 일을 마쳤을 때, 인류가 탐욕, 욕망, 잔혹함, 복수의 결과가 무엇인지 완전히 깨달았을 때, 세계는 이전과는 다르게 들을 준비가 되어 있을 것이다. 그 후에 우리는 그리스도가 다시 나타나 현대 생활의 용어로 고대 진리를 다시 선포할 것이라고 합리적으로 기대할 수 있을 것이다.

초인들은 신화나 상상의 산물이 아니다. 그들은 인간만큼이나 자연스럽고 이해할 수 있는 존재이다. 진화의 정규 순서에서 우리는 그들의 수준에 도달하고 그들의 대열에 합류할 것이며, 젊은 인류는 우리의 현재 상태에 도달할 것이다. 초인들이 일어섰듯이 우리도 일어설 것이다. 우리의 과거는 진화의 밤이었고, 현재는 그 새벽이다. 우리의 미래는 그 완전한 낮이 될 것이다. 우리가 벗어난 그 밤을 생각해 보라 - 힘이 정의의 척도였던 혼돈의 세계, 홀과 검의 문명, 영주와 농노, 주인과 노예의 세계. 우리는 그것을 뒤로 하고 전진했다. 우리의 문명이 도달한 회색 새벽을 생각해 보라 - 공공의 양심, 개인의 자유, 집단 복지, 생명의 신성함, 그러나 여전히 무력이 지배적이고, 전쟁이 국가 운명의 중재자이며, 산업 노예제가 여전히 남아 있고, 더 높은 열망과 더 낮은 욕망 사이의 갈등이 여전히 격렬한 - 문명화된 관습으로 가려진 이기심의 세계, 겉치레된 잔인함과 세련된 잔혹함의 세계. 우리는 지금 그 속에서 살고 있다. 그러나 진화의 다가올 결과를 생각해 보라! - 사랑이 힘을 대신하고, 무기와 대포가 사라지며, 이기적인 욕망이 고귀한 봉사로 변하는 시대, 마침내 인류의 고통스러운 진화 과정을 마치고 영적 계층에 합류하여 젊은 인종의 비틀거리는 발걸음을 인도하는 시대를.